大阪市立東洋陶磁美術館 自然採光展示

理想的な陶磁器鑑賞をめざした「自然採光展示」

「やきものの個性、魅力を素直に見せる、自然な展示」を目指して設計された大阪市立東洋陶磁美術館は、〝大阪中之島に美術館を〟という住友グループの想いを受け、昭和五十七年（一九八二）に設立された。

四季折々の自然のうつろい、時のうつろいの中で陶磁器を鑑賞できるように、との想いから誕生したのが「自然採光展示」である。

夏のある晴れた日の午前、やわらかな光に包まれた自然採光室を撮影。（M）

国宝《飛青磁 花生》 元時代（14世紀）

《青磁 八角瓶》 南宋時代(12～13世紀)

重要文化財《青磁 鳳凰耳花生》 南宋時代(13世紀)

大阪市立東洋陶磁美術館　安宅コレクション　名品選101

The Museum of Oriental Ceramics, Osaka
THE ATAKA COLLECTION 101
Masterpiece Selection

凡例

・作品解説などの執筆者は、各文末にイニシャルで記載
小林仁（大阪市立東洋陶磁美術館 学芸課長代理）：K
鄭銀珍（大阪市立東洋陶磁美術館 主任学芸員）：J
廣川守（泉屋博古館 館長）：H
森下愛子（泉屋博古館東京 学芸課主任）：M
竹嶋康平（泉屋博古館 学芸員）：T

・撮影者
作品番号1〜101の図版頁：六田知弘
巻頭及び巻末カラー頁：田口葉子

・作品キャプションは次の順で掲載
文化財の指定・認定：◉国宝、◎重要文化財、○重要美術品
作品名称
よみがな
制作時期

・伊藤郁太郎著『美の猟犬―安宅コレクション余聞』（日本経済新聞出版社、二〇〇七年）は、『美の猟犬』と省略し掲載した。

目次

序

世界有数の東洋陶磁を所蔵する大阪市立東洋陶磁美術館は、水の都・大阪の都心に広がる緑豊かな中之島公園内に昭和五十七年（一九八二）十一月に開館しました。中国・韓国陶磁を中心とした東洋陶磁のコレクションは、世界第一級の質と量を誇っています。その根幹をなすのが「安宅コレクション」です。安宅産業株式会社の会長であった安宅英一（一九〇一～九四）氏が、会社の事業の一環として、昭和二十六年（一九五一）から四半世紀かけて収集した一大コレクションです。

このコレクションは、安宅産業の経営破綻によって散逸の危機を迎えますが、大阪を本拠とする住友グループにより九六五件が大阪市に寄贈され、現在にいたっています。

この度、コレクションが安住の地を得てから四十周年を迎えたことを記念し、住友グループの支援のもと美術館活動を行う泉屋博古館東京（公益財団法人泉屋博古館）にて、展覧会を開催する運びとなりました。本書はそれに併せて刊行したもので、「安宅コレクション」から国宝二件、重要文化財十一件を含む珠玉の一〇一件を選りすぐりご紹介しています。

陶磁器収集のみならず、日本のクラシック音楽界の支援者として、また近代の日本画家・速水御舟コレクターとしても知られた安宅英一氏の、従来の価値観に縛られることのない独自の審美眼によって選び抜かれた極上の逸品の数々を、本書によってご堪能頂けましたら幸いに存じます。

大阪市立東洋陶磁美術館
公益財団法人泉屋博古館

Introduction

The Museum of Oriental Ceramics, Osaka, which holds one of the world's largest collections of Oriental ceramic ware, opened in November 1982 in the lush green surroundings of the Nakanoshima Park in the center of the "water capital" Osaka. Centering around items from China and Korea, the museum's collection of Oriental ceramic is reputed as one of the greatest in the world in terms of both quality and quantity. Its foundation is the ATAKA Collection, which includes a total of 961 items that Eiichi Ataka (1901-94), formerly the president of Ataka & Co., Ltd., had amassed over a quarter century since 1951 as part of the company's business.

After the bankruptcy of Ataka, when the collection was facing the danger of being dissolved, it was eventually donated by the Osaka-based Sumitomo Group to Osaka City, which is owning the collection today. To commemorate the 40th anniversary of the collection's salvation, an exhibition takes place at Sen-Oku Hakukokan Museum Tokyo, a branch of the Public Interest Incorporated Foundation Sen-Oku Hakukokan, whose activities have been sponsored by Sumitomo Group. Published at the occasion of the exhibition, this catalogue features a selection of 101 gems from the ATAKA Collection, including two national treasures, and eleven items designated as a national important cultural property.

In addition to collecting ceramics, Mr. Ataka was also renowned as a benefactor of Japanese classical music, and as a collector of works by the modern Japanese-style painter Gyoshu Hayami. We hope that you enjoy the masterful works in this book, all of which have been carefully selected by Mr. Ataka's unique aesthetic eye that always remained unbound by conventional values.

The Museum of Oriental Ceramics, Osaka
Sen-Oku Hakukokan Museum

コレクションがつなぐ絆と念願の展覧会

伊藤郁太郎（大阪市立東洋陶磁美術館 名誉館長）
奥正之（泉屋博古館 理事長）

安宅コレクションと大阪市立東洋陶磁美術館

奥：伊藤先生とこうして再会できることを大変嬉しく思っています。私は泉屋博古館の理事長を務めておりますが、正直なところ、なぜいままで大阪市立東洋陶磁美術館（以下、東洋陶磁美術館）と泉屋博古館のコラボレーションが実現しなかったのか、不思議に思っています。

この世界に誇る「安宅コレクション」の散逸を回避するために、一九八〇年に住友グループが大阪市に寄贈を申し出たのは、「美を私蔵することなく、公共に還す」という当時の住友グループの経営者の方々の強い信念に基づくものであったと聞いております。いずれにしても、文化遺産は人間にとって不可欠の栄養素みたいなものですから、私たちはそれを自覚し、守り、広く伝えていかねばならないと考えています。

伊藤：「安宅コレクション」が、東洋陶磁美術館に安住の地を得られましたことは、三十年近くコレクション形成に関わってきた私として、どれほどの感謝を申し上げても言いつくせないほどです。このいきさつについては、いまとなってはご存じの方も少ないと思いますので、「安宅コレクション」の成り立ちからお話しさせていただきたいと思います。

安宅産業は日本の十大商社の一角を占めた商社で、「安宅コレクション」は安宅産業の取締役会長を務めた安宅英一（一九〇一～九四）が、一貫した厳しい目で収集したコレクションです。総数約千件に上る主に中国と韓国の東洋陶磁、そして速水御舟の日本画の三つの柱から成り、その質の高さは世界的にも評価され

伊藤郁太郎氏

奥正之氏

ていました。

よく誤解されるのですが、安宅さんは収集の主導はしましたが、コレクションのすべては、個人の所有物でなく安宅産業の資産です。私は、大学で美学美術史を専攻し縁あって安宅産業に入社、以来安宅さんのもとでコレクションの収集に努力してきました。

一九七五年、安宅産業は海外での石油精製事業の失敗により経営危機に陥りました。当時、年商約二兆円の商社が倒産すると日本経済全体に甚大な影響が出ることを懸念した安宅産業の主力銀行である住友銀行が中心になり、最終的に伊藤忠商事との合併という形で乗り切っていただきました。その資産処理の過程で、速水御舟は山種証券傘下の山種美術館が引き取ることが早々に決まりましたが、中国と韓国の陶磁器の処遇の結論がなかなか出ませんでした。文化庁からも、散逸を回避して欲しいという強い要請もあり、最終的に住友銀行を中心とする住友グループ二十一社によって大阪市に寄付されるという英断が下りました。東洋陶磁美術館は、中味も建物も住友グループのご寄付によって、成り立っているのです。すなわち、泉屋博古館とはきずなの強い婚姻関係にあるわけです。

奥：一九七五年六月、私は留学していたミシガン・ロースクールから帰国し、東京の住友銀行の海外与信審査・海外関連会社管理を所管する国際管理部に勤務していました。まだパソコンなど無い時代で海外との通信手段は電話とテレックスです。秋風が吹き始める頃から、部内にあるテレックスに「ATAKA」と題したニューヨークからの受電が増えてきて、何やら不穏な動きを察していました。十一月に至り突然私に担当部長に随行しての出張が命じられました。

ニューヨークの安宅産業の米国子会社へ調査に入り、更に石油精製プラントがカナダにあることからモントリオールに飛び、今後の法律上の問題・対応策について現地の法律事務所と議論しました。帰国便のエコノミーシートの小さなテーブルでレポートを書きながら、胃がきりきりと痛んだことを覚えています。ここから長いお付き合いになるのですが、初めは決していいイメージはありませんでした（笑）。

東洋の名をあげた、アメリカ巡回展

伊藤：美術館の創立の経緯が記載された銘板は、住友グループが用意してくださったものです。グループとの由来のある別子銅山の銅によるものとうかがっていますが、A4くらいの小さなもので、いまも美術館の壁にこじんまりと掲示されています。初めは、どんなに大きなものがくるのかと思っていましたから、その小ささに驚きました。コレクションにも館にも、住友の名を冠することをよしとされない精神が強くあらわれていると感じました。

　しかし寄贈を受けた当時には、「なぜ住友コレクションに名前を変えないのか」とか「安宅の名前を一切出してはいけない」とか、忖度めいた発言をする市の関係者もいました。安宅コレクションの初めての海外展が一九九一年にシカゴ美術館を皮切りに、サンフランシスコ・アジア美術館、ニューヨーク・メトロポリタン美術館を巡回したことがあります。アメリカ側は、「安宅」の名前を入れることが絶対条件なのに、市側は安宅の名前を出してくれるな、です。間に挟まれた私は困り果てて、思い切って住友銀行さんにご相談申し上げました。

　「安宅さんが収集に携わったのだから、安宅の名前を出すのは当然です」と、単純明快なご返答をいただき、それからは大手を振って「安宅コレクション」の名前が使えるようになりました。

創立の経緯が記載された銘板

奥：偶々、一九九一年は、私はシカゴ支店長でしたので、シカゴ美術館の展覧会にお邪魔させていただきました。贅沢にも伊藤先生に、一点一点ご説明をいただきながら会場を回りましたので、よく覚えています。

伊藤：アメリカ屈指の三大美術館で「安宅コレクション」展を開催することは、私にとっても宿願でした。かねてより親交のあった蓑豊氏が、シカゴ美術館の東洋部で折よく部長に昇格し、意欲に満ちた時期でもあり、「お互いのコレクションの交換展をやろう」となり、せっかくだから日米で巡回させようと話が進みました。日本側の展示内容は韓国陶磁に絞ることとなりました。このアメリカ巡回展でも、アメリカ側の経費負担についてひと悶着ありましたが、住友銀行さんに多大なご支援をいただき、無事に開催のはこびとなりました。

巡回展では、日本とアメリカの陶磁に対する考えの相違も体験しました。私が書いた図録の解説についても、「無機質なやきものにどうして精神が宿るのか」と、メトロポリタンの図録の責任者からその部分の原稿を真っ赤に訂正されたこともありました。

奥：なるほど。それは、東洋人独特の感覚なのかもしれませんね。私は現地にいて、この巡回展により「東洋の名」があがったと嬉しく思いました。当時は、まだそれほど東洋陶磁に興味をもっている人は多くなかったですが、現地の方々から「素晴らしいコレクションだ」とか「シカゴ美術館はいい展覧会をした」など、よい反応を実感しました。

東洋陶磁美術館の愉しみ方

奥：その後も三井住友銀行の頭取時代には大阪出張の折、時間をつくっては、東洋陶磁美術館に立ち寄っていました。「安宅コレクション」に接していると、あの一九七五年当時の、若かった頃のさまざまな出来事がよみがえってきます。この美術館は私にとっても郷愁の地のひとつになっているようです。

東洋陶磁美術館の愉しみ方ですが、私は、まず先に国宝の油滴天目や飛青磁から見ています。やはり油滴はすごい。どうしてあれほどの美しい油滴ができるのか。試行錯誤を繰り返して完成したものなのか、偶然の産物なのか、いろいろ想像しながら鑑賞します。飛青磁の鉄斑の散り方は絶妙だなとか。これら安宅コレクションの中核をなす作品を展示する自然採光室は世界初の試みと聞いています。ここでは白磁や青磁の陶磁器の魅力にひたると同時に、この展示室をつくった伊藤先生の熱い情熱をひしひしと感じ取っています。

東洋陶磁美術館のコレクションが素晴らしいのは、類まれな収集家であった安宅英一さんと伊藤先生と当代一流の古美術商たちのパートナーシップによってできたコレクションなのですから、当然と言えば当然なのでしょうね。

安宅英一という人物

奥：安宅英一さんという人物について、伊藤先生が書かれたご著書（『美の猟犬』）などを拝読していますと、ものすごくこだわりが強く、ものごとを深く考えられる方だと感じます。またその一方で「歴史に残っても仕様がない」とか、「コレクションは誰が持っていても同

自然採光室にて

じ」などの言葉を発しておられ、これが私の心に引っ掛かっています。私からすればコレクションの品格や方向性を決めるのは所持者だと思っていますから、この言葉が果たして本音なのか否か、控えめな表現をなさっているのか、はたまた皮肉屋さんなのか、とても気になりました。

伊藤：安宅さんは基本的に非常にまじめなところのある人なのです。とことん突き詰めて、見て、考える。かつてNHKの『日曜美術館』で安宅さんの特集があり、〝狂気と礼節のコレクター〟という副題がつけられたことがあります。狂気とも見えるケースがあったことは間違いないと思います。常識では考えられないことを考え、実行する芸術家的資質がありました。

　ご質問に戻りますと、それらの発言の時、安宅さんが話をしている態度からは、皮肉めいた軽さやニヒリスティックな気配は微塵も感じられませんでした。まるで子どもが話しているような純粋ささえありました。

奥：伊藤先生も気になった言葉だったのですね。

伊藤：安宅さんにはいろいろの側面があり、そのひとつひとつの振幅が大きいので捉えにくいのですが、比喩的に言いますと、宇宙的なとんでもなく巨大な視点を持ち合わせていたような気がいたします。そういう視点からすれば地球上のどのように大きな出来事にしろ、飛沫的な微細な現象にしかすぎません。ましてやコレクションを誰が持っていて、それが誰のところに移ったかなど、ほんの些細な問題であり、誰が持っていても同じではないか、そこには禅語でいう「放下着（すべて捨て去れ）」の境地に似た壮大な世界観が感じられるのです。いずれにせよ私にはそのように静かで深い意味を持つコレクター最後の訣別の言葉として受け取れました。

奥：とても興味深い人物ですが、お付き合いするのは大変だったのではないでしょうか。

伊藤：はい、「こんな難しい人によく何十年も仕えてきましたね」と、言われることが何度かありました。しかし一方、「伊藤さんは、世界で一番幸福なサラリーマンだったね」と言われたこともあります。

両美術館からのメッセージ

奥：今回は、念願叶っての展覧会です。安宅英一という超一流のコレクターが心血を注いで集めた約千件のなかから一〇一件をえりすぐってお見せしますので、たっぷりと時間をかけて、一点、一点じっくりと見ていただきたいと思います。この不確実で不安定な時代に、古来の人の手がうみ出した奇跡のような美が、幾星霜を経て出会うことになった鑑賞者の皆さんの心に何を残すのか。ある意味、自己との対話の場としていただけたらよいのではないでしょうか。

伊藤：やきものという無機質なものでありながら、そこから発信されているある種の信号があると私は信じています。その信号を受け止めるためには、受け手のほうも、あるレベルに達していることが欠かせません。この展覧会を通じて、鑑賞の経験を積んでいただければと思います。それでも一〇一件の全部を理解しようとは思わず、仮に一つでも、何かご自分の心と響き合うものと出会っていただけたら嬉しいです。

二〇二二年九月二十七日　於 大阪市立東洋陶磁美術館

ポートレート撮影 田口葉子

略歴

伊藤郁太郎（いとう・いくたろう）
大阪市立東洋陶磁美術館 名誉館長
一九三一年生まれ。東北大学文学部美学美術史学科卒業後、安宅産業株式会社入社。安宅英一のもとでコレクション収集に携わる。一九七七年、伊藤忠商事との合併に伴い退社。一九八二年、大阪市立東洋陶磁美術館設立とともに館長に就任。二〇〇八年より名誉館長。一九八八年、小山冨士夫記念賞受賞。一九九五年、韓国政府より文化勲章授与。二〇〇三年、文化庁長官表彰。著書に『美の猟犬―安宅コレクション余聞』（日本経済新聞出版社）、『高麗青磁・李朝白磁へのオマージュ』（淡交社）などがある。

奥正之（おく・まさゆき）
三井住友フィナンシャルグループ 名誉顧問、泉屋博古館 理事長
一九四四年生まれ。京都大学法学部卒業後、住友銀行入行。一九九三年国際総括部長、一九九四年取締役企画部長、一九九九年統合戦略委員会事務局長、二〇〇一年三井住友銀行専務取締役、二〇〇三年副頭取、二〇〇五年六月三井住友フィナンシャルグループ取締役会長・三井住友銀行頭取、二〇一一年頭取退任、二〇一七年から現職。著書に『私の履歴書　金融はまだまだ面白い』（日本経済新聞出版社）がある。

安宅コレクションと大阪市立東洋陶磁美術館

守屋雅史（大阪市立東洋陶磁美術館 館長）

　大阪市立東洋陶磁美術館は、昭和五十七年（一九八二）十一月に淀川水系の堂島川と土佐堀川に挟まれた中之島と呼ばれる中洲の東部で開館した。江戸時代の中之島周辺には諸藩の蔵屋敷が建ち並び、全国各地から特産物や年貢米などの物資が集まり、米市など水都大坂の経済要衝の地として発展してきた。また明治・大正期にも、日本銀行大阪支店や大阪府立中之島図書館、大阪市中央公会堂などの名建築が建てられ、かつては豊国神社大阪別院や大阪ホテルなども立地していたが、現在でも大阪の歴史と文化の蓄積を体感できる場所である。また、街路には電柱がなく大きな欅並木があり、美術館の周囲も楠・銀杏・落羽松などの人為的な植生が緑豊かな景観をつくっていて、バラの小径や中之島バラ園には多くの人々が来園する。安宅商会（後の安宅産業）は、明治三十七年（一九〇四）に大阪の船越町に本店を構えて誕生し、高麗橋や現在の今橋四丁目五番地に移転しながらも、中之島の近隣に所在していた。安宅産業由来のコレクションを所蔵する美術館としては、大阪のなかでも絶好の立地に開館することができたといえよう。

　安宅コレクションの形成過程と、大阪市への寄贈を経て大阪市立東洋陶磁美術館が開館する経緯については、初代館長であり、現名誉館長の伊藤郁太郎氏の著作『美の猟犬―安宅コレクション余聞』に詳しい。また本図録には、様々な事柄の当事者・目撃者でもあった伊藤名誉館長と奥正之泉屋博古館理事長との臨場感のある対談も掲載されているので、本稿では事実関係を中心にその概要をまとめたい。

　日本の十大商社の一つであった安宅産業の昭和二十六年（一九五一）の取締役会で、企業の利益の社会的還元と社員の教養の向上を目的として、会社の事業の一環として美術品の収集を実施することが正式に決議された。この構想を練って、会社の首脳陣を説得し、取締役会の決議となるよう誘導し、そしてこの美術品収集の中心的人物だったのは、安宅商会の創業者安宅彌吉（一八七三～一九四九）・静子夫妻の長男・安宅英一（一九〇一～九四）氏であった。安宅彌吉氏は、明治四十年（一九〇七）頃から丁稚制度の改善と人材の育成をめざした給費生制度を始めていた。それは、金沢の金石の郷里などから小学校の卒業生の紹介を受けて、衣食住の面倒をみながら会社の下働きとして採用し、週に三回は夜学に通わせ三年後には会社を退かせる。その後は給費生として学資などを出して商業学校に通わせ、優秀者はさらに上級の学校に進学させて、卒業後は安宅商会（名称が安宅産業に変わっても）でも、その志しによって他所にでも就職することができるという制度であった。そのため「安宅家恩顧」の社員にとっては、会社が社員の教養の向上のために美術品を収集することは、さほど不思議なことではなかったのかもしれない。また、安宅英一氏はのちにテニス選手として活躍した妹の安宅登美子（一九〇九～二〇〇八）氏のピアノ練習に啓発されて、自分も十六歳頃からピアノのレッスンを受けて終生音楽を愛した人物であり、ロンドンにあった安宅商会支店長の赴任駐在を終えて帰国した後に、昭和十三年に東京音楽学校（現・東京藝術大学）に安宅賞奨学資金を創設するなど、パトロンとして多くの音楽家を支援し続けたことでも知られている。一方、父安宅彌吉氏の竹馬の友であり、住友本店に入社して後に住友ビルディングの常務取締役となった多田平五郎（一八八一～一九五三）氏に韓国陶磁の薫陶を受けたといわれている。多田氏は安宅英一氏・道子氏の仲人でもあり、住友合資会社林業所の社員であった時に韓国で勤務していた時期があって韓国陶磁を愛好していたとされ、そうした縁（えにし）から韓国陶磁の美しさと鑑賞方法などを伝授されたとされる〔安宅光雄著「第二節　安宅彌吉の遺産」『甲南女子学園創立者 安宅彌吉』甲南女子学園（二〇二〇）〕。安宅彌吉氏は、昭和十七年に陸軍とのトラブルによって社長を退くが、後継者には芸術家肌の安宅英一氏ではなく、弟の安宅重雄（一九一一～九九）氏を指名して社長とした。安宅重雄氏は戦争責任をとって終戦直後に辞任したので、安宅英一氏は昭和二十年に会長となり、二年後に辞任するも昭和三十年に再び会長に就任し、昭和四十年には相談役社賓となって、会社所有の美術作品の収集に力を注いだ。

　昭和二十六年の決議の後、初期の段階で収集した作品については、速水御舟（はやみぎょしゅう）（一八九四～一九三五）筆の近代日本画が中心であって、陶磁器に関しては韓国陶磁の収集が主で中国陶磁はわずかだった。ただし、東洋陶磁に関するホブソン編著『ジョージ・ユーモルフォプロス・コレクション図録』全六冊を購入している点は、将来のコレクションの形成を考える上では興味深い。なお、速水御舟作品の収集については、親交のあった演出家・文芸評論家の武智鉄二（一九一二〜八八）氏が、新たに武智歌舞伎を立ち上げて運営する資金の捻出のために、所蔵する速水御舟作品を売却し始めたことを安宅英一氏が知り、作品の散逸を憂慮されたためとされる。とはいえ当時の社会情勢は、第二次世界大戦後のシャウプ勧告による税制改革によって、高額所得者層には一種の富裕税がかけられるようになり、名家・資産家の所有した美術品が古美術市場に現れ始めた頃で、その一部は海外にも流出していた。一方、朝鮮戦争が昭和二十五年に始まり、その特需で日本経済は好況へと転じた時期でもあったので、昭和二十六年の安宅産業の決議は優れた美術品を引き続き日本国内に残すことに関して、誠に時期を得たものであったといえよう。

安宅産業における陶磁器の収集が本格化するのは、昭和二十九年以降の高度経済成長期前半からであるが、昭和三十年には後に初代館長となった伊藤郁太郎氏が安宅産業に入社し、安宅英一氏のもとでコレクションの収集に携わるようになった。韓国陶磁は名品主義の方向性が鮮明になり始め、量的にもコレクションの骨格ができつつあったが、中国陶磁の収集は、東京の老舗古美術商・壺中居の廣田松繁（一八九七〜一九七三、号・不孤斎（ふっこさい））氏所蔵の「三種の神器」と呼ばれた北宋・明代の名品三件を入手するも、数量的にはまださほど多くはなかった。安宅コレクションの形成が大きく飛躍するのは昭和四十一年以降の高度経済成長期後半のおよそ十年間であり、いわゆる景気拡大の流れに乗って収集が盛んとなり、韓国陶磁や中国陶磁などの主要な名品がコレクションの一角を占めるようになった。また、この時期日本経済新聞社の圓城寺次郎（一九〇七〜九四）氏の肝煎りで安宅コレクションの名品展が東京などでたびたび開催されており、将来的には美術館の設立を視野に入れていたともいわれている。

一方、子会社の安宅アメリカによるカナダの石油精製会社への巨額投資と石油精製の大型プロジェクトの失敗が、本社である安宅産業の財政危機をまねき、昭和五十年十二月には新聞報道によって周知の事実となった。メインバンクの住友銀行などが中心となって融資が行われたが、安宅産業は昭和五十二年十月に伊藤忠商事に吸収合併されることとなった。その間安宅コレクションの一部であった速水御舟作品八十七件一〇六点は、昭和五十一年八月に一括して山種文化財団に売却されたが、コレクションの主体である九六五件の東洋陶磁などの行方が、文化遺産としての価値の大きさとともに社会的関心を呼んだ。当時の大阪市長であった大島靖（一九一五〜二〇一〇）氏は、住友銀行に対して大阪市への寄付を呼びかけていたが、昭和五十五年三月になって、住友グループ二十一社（当時）から安宅コレクションの東洋陶磁を一括して大阪市へ寄付する正式な申し入れがあった。それは、住友グループが巨額の寄付金を大阪市の文化振興基金に積み立て、銀行に預金した寄付金の運用益でコレクションを収蔵・展示する美術館を建設し、完成した時点で大阪市が安宅コレクションを買い取るという方式での寄付という決断であった。これを受けて大阪市は、東洋陶磁の専門美術館の建設計画を策定・発表し、十七カ月の工期を経て美術館を完成させた。

江戸時代以来、住友という企業体では、第一に信用確実、第二に人間尊重、第三に技術の重視、四番目に事業によって国家社会に奉仕をする、この四つが基本精神だとされている。もちろん、利潤の追求は企業であるから当然ではあるものの、物を生産することで社会を豊かにする努力をし、それによって生じた利益を社会に還元するという理念の高さが特色でもある。文化活動に関わる社会還元のなかでは、東京の皇居外苑にあって、彫刻家・高村光雲（一八五二〜一九三四）が制作し、別子銅山の純紫銅で鋳られた楠木正成像の献納〔別子開坑二百年記念事業、明治三十三年（一九〇〇）に完成〕、大阪府立中之島図書館の寄付〔明治三十七年に完成〕、美術館建設を条件とした大阪の天王寺茶臼山に所在する住友家本邸敷地と慶沢園〔七代小川治兵衛（一八六〇〜一九三三）の造園〕の大阪市への寄付〔大正十年（一九二一）十二月〕、安宅コレクションの大阪市への寄付〔昭和五十五年一月〕などがあり、いずれの善行も特段大きく主張されない奥ゆかしさが家風・社風であるともいわれている。世界的名品の集積ともいえる安宅コレクションを末永く日本で鑑賞できる機会は、住友グループのご寄付がなければかなわぬ夢だったのであり、その結果としての美術館に関わる者としては、未来永劫この決断に対して心からの感謝を申し上げたいと思う。

大阪市立東洋陶磁美術館は、主に中国・韓国・ベトナム・日本における東アジア地域で生み出された陶磁器などの保管保存、展示公開、教育普及、調査研究などを目的とした専門美術館であり、安宅コレクションを収蔵・展示する美術館としてスタートした。安宅コレクションは、後漢代から唐・宋・元代を経て明代に至る中国陶磁一四四件、高麗・朝鮮時代などの韓国陶磁七九三件、黎朝十五、十六世紀のベトナム陶磁五件、奈良時代などの日本陶磁二件、青銅器や漆器などの中国工芸五件、漆器などの韓国工芸十件、日本工芸及びその他の資料六件、合計九六五件からなる美術コレクションである。中国陶磁については、各時代を代表する主要な作品を重点的に揃えていくという、点と線的な収集の方向性があり、一方で韓国陶磁に関しては、陶磁史という縦軸と、器種や成形・装飾・施釉技法のバリエーションという横軸を網羅する意識が大きく、編年的・技法的な概観が可能となる面的な収集の方向性がある。さらにそうした方向性のなかで、作品に対する安宅英一氏の鋭い審美眼による判断と選択があって、結果としてコレクションとしてのまとまりと個性が表現されているのである。作品を発見し収集していく安宅英一氏の審美眼は、中国における宮廷趣味、茶の湯の価値観、民芸に内在する嗜好性、鑑賞陶器における至上主義的な美意識などを反映した日本の旧来の価値観とは大きく異なっている。二十世紀になって欧米で主流となってきた実証的な東洋陶磁史的価値基準をベースとしながらも、グローバルな音楽への愛情と同質な、束縛のない独自の美意識が加わって形成されてきたものと考えられる。伊藤郁太郎名誉館長は、安宅コレクションの特色を「美的な価値における瑕疵（かし）」のない「徹底した完璧主義」の産物であり、安宅英一氏の「究極の選択基準は」、作品がもつ「気品であり、静謐（せいひつ）さであり、峻烈（しゅんれつ）さであ」って、そこにおのずから「安宅好み」というものが形成されているとする。さらに充実した韓国陶磁に関していえば、「異った風土・言語・習慣をもつ外国で生みだされた文化遺産に対して、日本的感性が示し得る、最も深い理解と愛惜の徴（しる）しであり、見識の証（あか）し」ともいうべきものを示しているとされる（大阪市立東洋陶磁美術館編集『東洋陶磁の展開』大阪市美術振興協会、一九八二年）。

そうした緊張感のある作品との対峙は重要ではあるものの、私のような一般人には若干荷が重い。少々ステレオタイプ的な言い回しで恐縮ではあるが、中国陶磁の論理的で隙のない厳格で力強い父親的な表現と、韓国陶磁の情緒的で物腰は柔らかく穏やかながらも芯の通った強さをもつ母親的な表現のありさまを、展示空間の中での作品の有機的な関連性のなかで感じていただければ幸いである。そして、展示作品の中からあなたの感性で「これがいちばん好き」を発見してもらえたのなら、これに勝る喜びはない。

令和四年（二〇二二）十一月に大阪市立東洋陶磁美術館は開館四十周年をむかえることができた。この歳月のなかで、多くの方々との良好な関係性を確立していくことができ、ご寄贈や購入によって、新たな中国陶磁・韓国陶磁・近現代陶磁などを加えて、多彩な館蔵コレクションとして充実することができた。特に、平成八年（一九九六）から平成十年の三回に渡って、李秉昌（イ・ビョンチャン）博士から質量ともに優れた韓国陶磁などの一括コレクションと韓国陶磁研究の基金に資する土地・家屋のご寄贈・ご寄付を受けることができたことは大きな幸せであった。また当初は十分とはいえなかった日本陶磁の収集にも、平成四年から積極的な充実をはかることができた。今日までの収集と展示の方向性は、その経緯を尊重し、強化し、発展させながら、今後とも継続していく所存である。

大阪市立東洋陶磁美術館の建築は、常滑焼の焼締めのタイルを煉瓦のように外壁に使用し、長方体を組み合わせた堅牢な外観を呈しているが、建築業協会（現・日本建築業連合会）による昭和五十九年（一九八四）の建築業協会賞（現・日建連表彰BSC賞）を受賞している。また内部に関しても、青磁が美しく映える太陽光線を展示ケースにまで送り込んだ自然採光室など、作品の見やすさ・美しさといった鑑賞環境の充実と作品の安全性の確保にはこだわりをもって対応している。平成十一年（一九九九）には李秉昌コレクションと日本陶磁などの展示のために新館を増設したが、現在も中之島公園との一体感や開放的なイメージを演出して入館しやすい空間を生み出すために、ガラス張りのエントランスを増築し、既存設備にも改良を加えて、美術館の魅力向上を図っている。居心地のよさや展示環境が優れた美術館であり続けることが、長く美術館活動を維持継承していく大切な要素であると考えている。

泉屋博古館東京にて開催する今回の展覧会は、大阪市立東洋陶磁美術館が所蔵する住友グループご寄付の「安宅コレクション」に注目し、国宝二件・重要文化財十一件・重要美術品六件を含めた一〇一件からなる名品展として構成されており、長期休館中だからこそ実現なしえた充実した作品内容の展覧会であるともいえよう。今回の展覧会で現在のコレクションの全体像をお見せすることはできないが、令和六年（二〇二四）春のリニューアル開館後のお楽しみの一つとして記憶していただければ幸甚である。

「安宅コレクション・李朝にいける―小笠原豊雲」展（大阪・心斎橋大丸）の休憩室で談笑する安宅英一氏
撮影：伊藤郁太郎　昭和五十一年（一九七六）『美の猟犬』より転載

第一章　珠玉の名品　十一選

「安宅コレクションとは、安宅英一という類まれな芸術的天分に恵まれた収集家によって創造され指導された、完成されることのない、しかし、不滅の、巨大な一箇の芸術作品であった。」

『美の猟犬』より

安宅産業株式会社の会長であった安宅英一（一九〇一～九四）氏が、会社の事業の一環として昭和二十六年（一九五一）から二十五年かけて収集した東洋陶磁の名品の数々。そのすべてを選び抜いた安宅氏の眼は、決して従来の価値観に縛られることのない、ただそこに存在する美を見極めようとするものだった。

第一章では、安宅英一氏が収集した東洋陶磁コレクションの中から珠玉の名品を紹介したい。

古代から近代に至るまで、常に高い技術と卓越した美しさで人類を魅了し続けたものは中国陶磁である、といっても過言ではない。古代において、眼に見えぬ神々または先祖への畏敬の念が込められたやきものは、様々な造形美を生み出した。唐時代のふくよかな《加彩 婦女俑》は、うっすらと微笑をたたえているような愛らしさをもつ。北宋時代、「雨過天晴」と謳われた汝窯の《青磁 水仙盆》は、日本に数点しかない汝窯青磁の名品である。元から明時代にかけては、東アジア圏のみならず欧米をも魅了した、青花磁器など、巧みな造形表現、繊細さのなかに秘めた力強さ、気品のある中国陶磁のスターが大集合する。

一方で、高麗時代の青磁、朝鮮時代の白磁に代表される韓国陶磁には、世界にただ一つしかない珠玉の名品が見られる。《青磁象嵌六鶴文 陶板》は、高麗特有のやわらかい釉色と、象嵌青磁による絵画的な図様が特徴で、仏教が国教であった高麗時代の自然観が垣間見られ、彼岸への憧憬の念が込められた、と形容される。

その後、朝鮮王朝時代に至り、素朴な中にも自然への憧憬が垣間見られる粉青や白磁、青花など、造形、文様共に魅力的なものが多く誕生した。安宅氏が「弁慶（べんけい）」と名付け愛蔵した《粉青白地象嵌 条線文 簠》は、五穀を盛り神々に捧げるためのうつわとしてつくられた。中国古代の青銅器を模倣しつつも、荒々しく表現された白土の雷文が、高い造形力に裏付けられ、威厳に満ちた存在感を漂わせている。安宅氏の収集家としての眼が遺憾なく発揮されたのは、韓国陶磁の収集だったといえる。

（M）

MOCOのヴィーナス

豊頬豊満なスタイルは盛唐期の「美人」像の特徴で、日本でも正倉院の《鳥毛立女屏風》に描かれた樹下美人図に反映されている。ふっくらと柔らかそうな手と細い指先による繊細可憐なしぐさ、頭をかしげた様子が何ともチャーミングである。もともと片手に小鳥を乗せ、それに触れ慈しんでいたのだろうか。大きく結い上げられた髷にはかんざしが挿されていた切り込みが見られる。魅力的な後ろ姿も必見。型づくりによるもので、西安の生産工房遺跡からは類似の俑の陶範（型）も出土している。全身に施されていた加彩はかなり剥落してしまっているが、当時流行りの頬いっぱいに濃い頬紅をさしていたようである。

廣田松繁（一八九七～一九七三、号・不孤斎）旧蔵で、戦前に日本にもたらされ、名だたる画家らが激賞したと伝えられる。大阪市立東洋陶磁美術館（MOCO）の誇る安宅コレクションの世界的名品の一つである。

（K）

加彩 婦女俑（かさい ふじょよう）
唐時代
8世紀

1

唯一無二
究極の彫り技

北宋時代の耀州窯青磁の魅力はオリーブグリーンの透明感ある釉色と深く鋭い彫り技にある。本作はその中でも最高傑作といえ、冴えた彫り技は釉薬の濃淡を生み出し、緻密な文様を立体的に浮かび上がらせている。「吐魯瓶（とろびん）」あるいは「太白尊（たいはくそん）」とも呼ばれる肩のやや張った独特な造形も絶妙なバランスを見せる。釉色、彫り、造形と三拍子そろった唯一無二の耀州窯青磁の名品である。（K）

◎青磁刻花 牡丹唐草文 瓶
（せいじこっか ぼたんからくさもん へい）
北宋時代
11〜12世紀

雨過天青のうつわ

中国陶磁の王道といえる青磁の最高峰、北宋汝窯(じょよう)青磁の伝世品は、世界で九十点余りが確認されている。なかでもこの楕円形の「水仙盆」と呼ばれるものは評価が高く、安宅コレクションの代表作品の一つで、日本を代表する伝世汝窯青磁である。

口縁部には銅製の覆輪(ふくりん)がはめられているが、これは口縁部がわずかに欠けたため口全体を少し磨いているためである。口縁部外側に一カ所鉄斑が飛んだ部分が見られるのもチャームポイントの一つになっている。底部には汝窯の特徴の一つともいえるゴマ粒状の目跡(めあと)が六つ見られる。汝窯青磁特有の淡い天青色の釉色を見せており、使用痕や汚れのほとんど見られない底部はことのほか美しい。雨上がりの雲の切れ間にのぞく青空を形容する「雨過天青」のうつわと呼ぶにふさわしいものである。（K）

青磁 水仙盆（せいじ すいせんぼん）
北宋時代
11世紀末~12世紀初

3

桑の葉で禅の達人に

茶碗に木葉が舞い落ちたかのような斬新な意匠は南宋時代の吉州窯（きっしゅうよう）の黒釉茶碗の特色の一つである。見込みには本物の木葉が焼き付けられており、日本では「木葉天目」と呼ばれている。よく見ると虫食いの跡もある桑の枯れ葉が用いられており、これは南宋の陳与義（ちんよぎ）（一〇九一～一一三八）の詩に見られる桑の葉は禅に通じることができる（「桑葉能通禅」）という一句から、木葉装飾と禅との密接な関係がうかがえる。さらに、見込みの一部には金彩の梅花文の痕跡も確認できる。吉州窯の天目に見られる文様趣向は単なる装飾というより、禅における感応や神通を意図したものとも考えられる。

本作は江戸時代の加賀藩主前田家に伝来したもので、前田家の御道具帳には「しんちう（真鍮）ふくりん平茶碗 覆輪有」と記されており、付属する金色の覆輪をはめるとより華やかさが増す。日本伝世の木葉天目の最高傑作として名高いものである。（K）

4

◎
木葉天目 茶碗（このはてんもくちゃわん）
南宋時代
12～13世紀

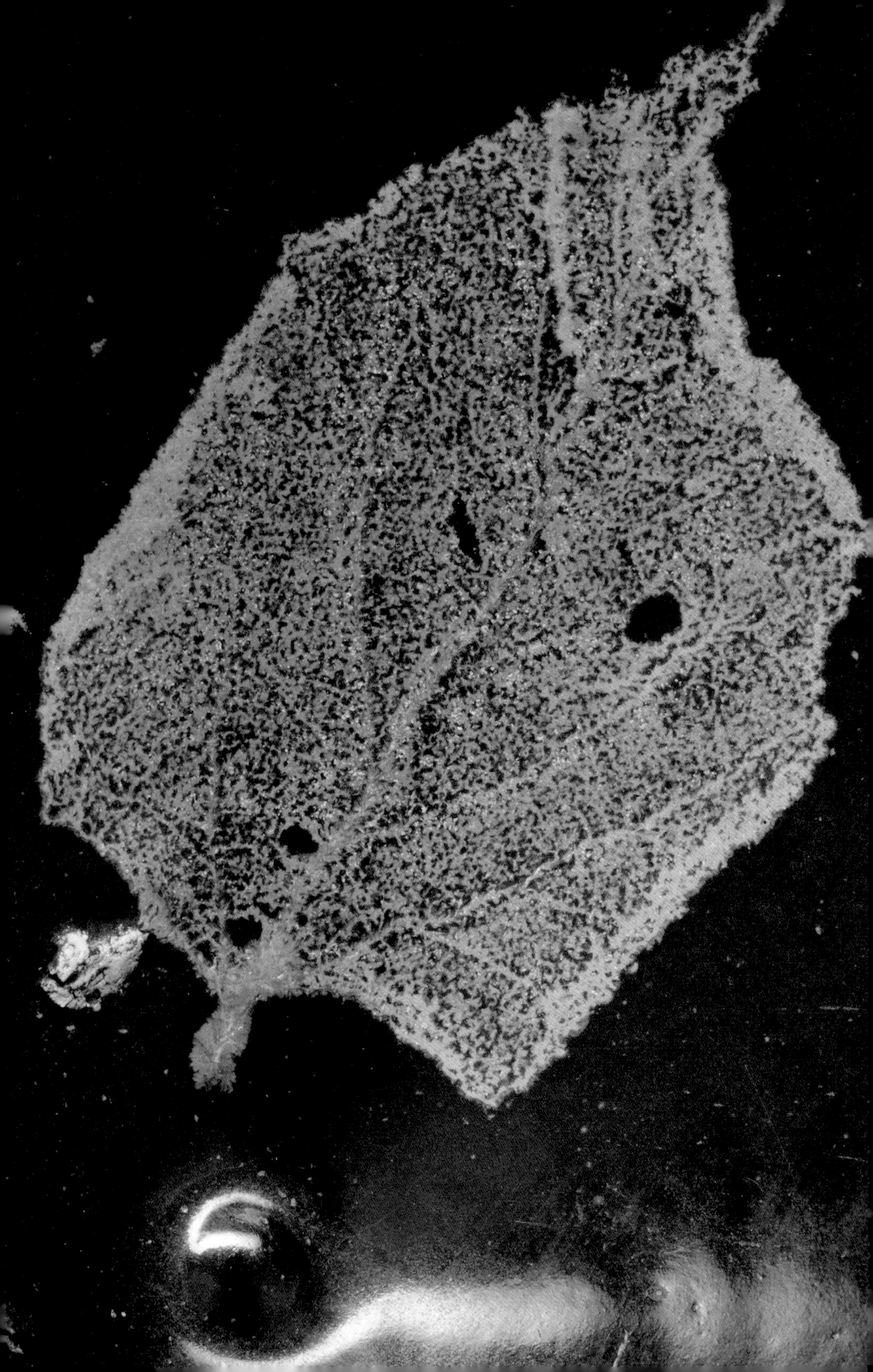

油滴、素敵、無敵！

宋時代に流行した点茶法による喫茶文化では、最高級の茶が白色とされたことから、色映りの良い黒い茶碗が歓迎され、なかでも建窯（けんよう）の黒釉茶碗は皇帝をはじめ宮廷内でも評判となった。そうした中国の喫茶文化とともに日本でも鎌倉時代以降に多くの黒釉茶碗がもたらされ、後に「天目（天目茶碗）」と呼ばれるようになった。南宋時代の建窯の曜変天目や油滴天目はすでに室町時代に高く評価され、伝世の名品はいずれも日本にある。本作は国宝に指定されている、伝世の油滴天目の最高傑作である。その名の由来とされる茶碗の内外の黒釉にびっしりと生じた油の滴（しずく）のような銀色の斑文に、青色を中心とした虹色の光の色彩のグラデーションが加わり幻想的な美しさを見せている。口縁には日本製と考えられる純度の高い金の覆輪（ふくりん）がはめられ一層豪華さを増している。重さ三四九グラム、手に持つと心地よい重みが伝わる。

かつて関白・豊臣秀次（一五六八〜九五）が所持し、のち西本願寺、京都三井家、若狭酒井家に伝来した。世界一素敵で、天下無敵の油滴天目である。（K）

◉
油滴天目 茶碗（ゆてきてんもくちゃわん）
南宋時代
12〜13世紀

5

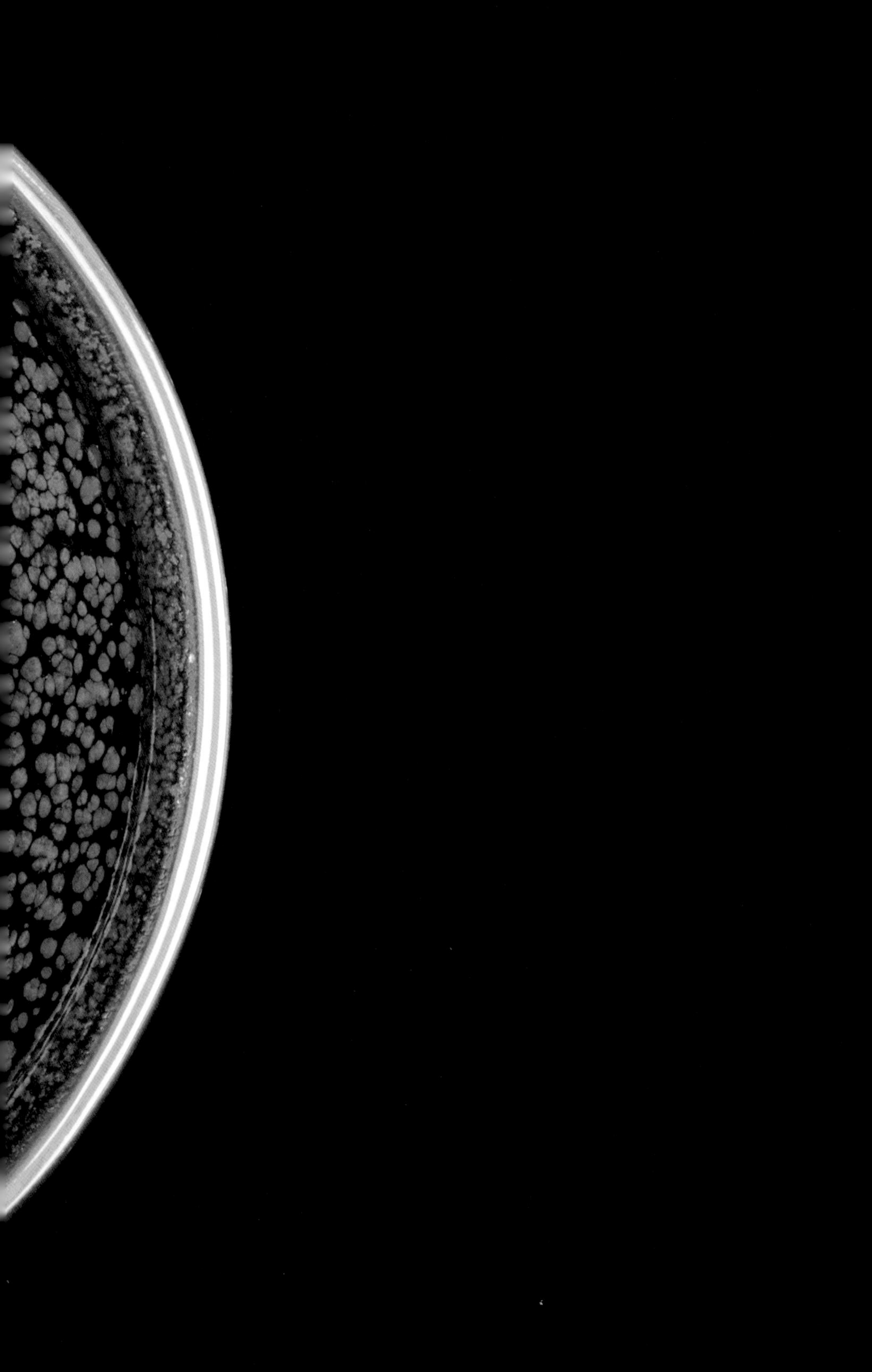

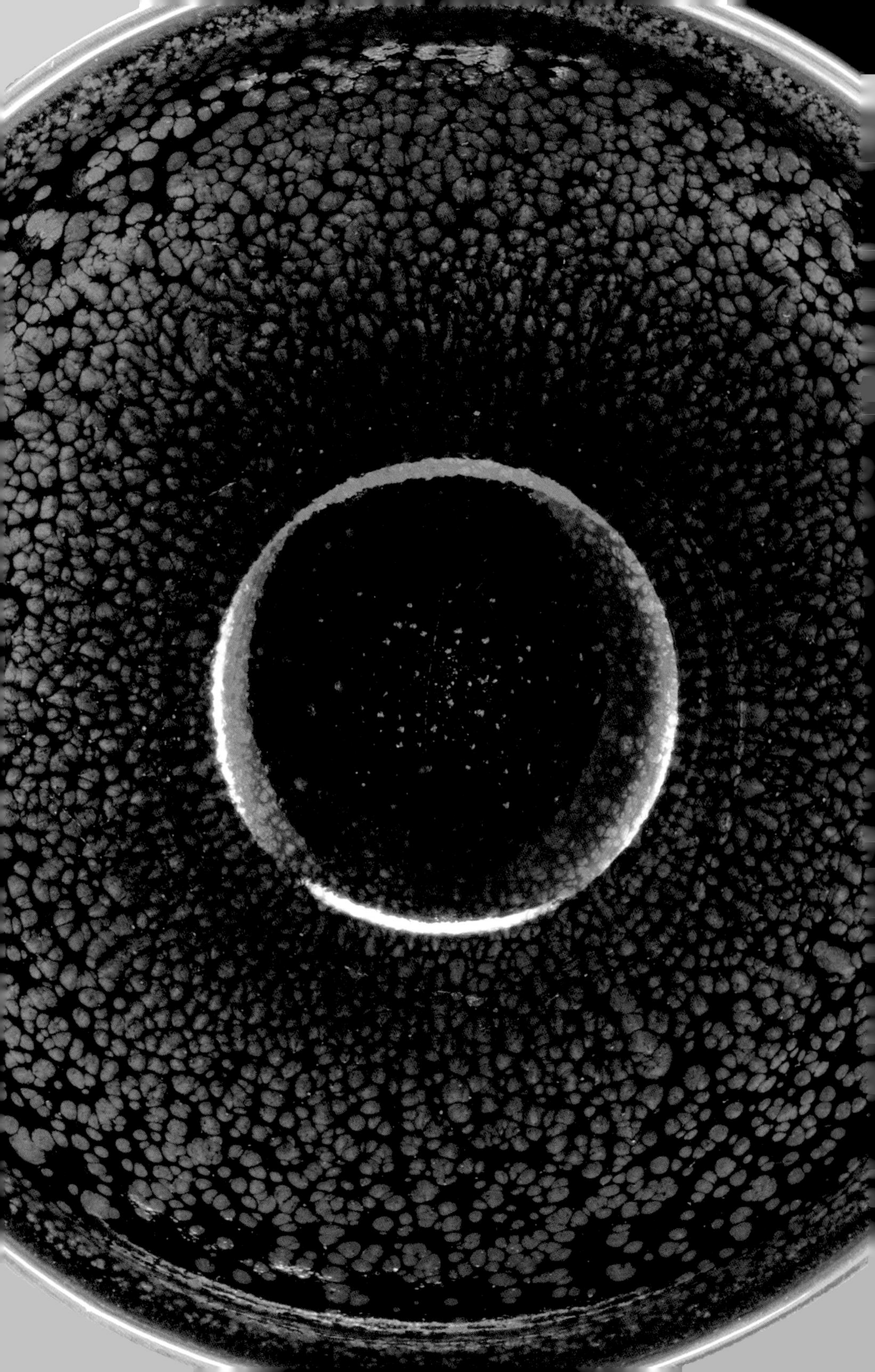

飛んで飛んで

黄金比ともいうべき均整のとれたプロポーション、翠色の美しい釉色、絶妙な鉄斑の配置、元時代の龍泉窯（りゅうせんよう）青磁を代表する名品である。元時代の龍泉窯は、日元貿易により日本に大量にもたらされたことが韓国の新安沈船の引き揚げ品などからもうかがえる。中国では「玉壺春」と呼ばれるタイプの瓶で、これは酒瓶を連想させるが、日本ではいわゆる「唐物」の花生として書院や茶席を飾った。

本作は江戸時代の大坂の豪商・鴻池家に伝来したもので、「寛政三年（一七九一）道具改帳」に「飛青磁」の名で記されている。このことから、江戸時代にはこうした鉄斑装飾のある龍泉窯青磁が「飛青磁」の名で愛玩されたことがうかがえる。青磁に点じられた鉄斑が「飛んで」いる様は、大空を風に吹かれて飛んで行く雲のようでもある。

国内外に類品が数点知られるが、飛青磁花生の最高傑作といえる。安宅コレクションに加わった最初の国宝で、昭和四十二年（一九六七）に初めて公開されると多くの観覧者から讃歎の声があがったという。その魅力は今も見る者を感嘆させて止まない。（K）

●
飛青磁 花生（とびせいじ はないけ）
元時代
14世紀

6

高麗文人あこがれの情景

厚さが五ミリほどの薄い陶板。その用途については、王宮や大寺院などの建築装飾用との説があり、実際に高麗の宮城址や寺院址で出土している。陶板の完品の遺例は世界に数点しかなく、本作のような大きさと絵画的な図柄をもつものは、ほとんど類例がない。青磁の釉色に濃淡が広がり、それがあたかも霧がかかったかのような神秘的な効果を醸し出し、葦や竹の繁った水辺で鶴が戯れる。鶴は中国古来の「六鶴図」に由来するポーズをとっているとされ、伸びやかで詩情豊かな世界は高麗的感性をとりわけ濃厚に感じさせる。安宅氏愛着の一点であり、安宅コレクションの高麗青磁で、もっともファンの多い作品の一つ。（J）

青磁象嵌 六鶴文 陶板
（せいじぞうがん ろっかくもん とうばん）
高麗時代

どこまで登るのかな？

水注は茶や酒などの液体を注ぐためのものだが、まん丸な胴体に、蔓（つる）をよじ登る「ジャックと豆の木」のような童子の姿が見える。童子は目を細めて微笑み、両手で蔓を握りしめ、力強くよじ登ろうとしている。豊穣の象徴でもある想像上の花文に現れた童子は、仏教の蓮華化生童子（れんげけしょうどうじ）を彷彿とさせるとともに、子孫繁栄の願いが託されている。当時の人々の思いが、高い技術や表現力と融合して生まれた逸品といえよう。日本で重要文化財に指定されている高麗青磁三点のうちの一点である。（J）

◎
青磁象嵌 童子宝相華唐草文 水注
（せいじぞうがん どうじほうそうげからくさもん すいちゅう）
高麗時代
12世紀後半〜13世紀前半

8

どっしりと構えた「弁慶」の存在感

儒教に基礎を置く朝鮮王朝では、祭祀の折に五穀を盛る祭器は欠かせないものであった。本作は中国古代の青銅器「簠」を模したもので、その身の部分に相当する。胴の四隅に鋸歯飾りが付き、四面には白象嵌で雷文を表し、さらに白土を荒々しく塗り付けている。高い造形力に裏付けられ、威厳に満ちた存在感をただよわせている。安宅氏はこの祭器に深い愛着をもち、主君・義経に忠義を尽くした「弁慶」の名を借り、いつもその名で呼んでいた。（J）

粉青白地象嵌 条線文 簠
（ふんせいしろじぞうがん じょうせんもん ほ）
朝鮮時代
15世紀

9

10

両手に載る岸辺の豊饒な世界

胴面の左右に伸びた蓮の間で、魚を狙う翡翠（かわせみ）が空から舞い降り、あたかも水中の様子を真横から見たかのような構図である。通常、二匹で泳ぐ魚は男女の関係を表すが、魚とそれを狙う鳥の組み合わせも同様である。反対面には蓮の花に鷺が描かれ、鷺は「路」と発音が通じることから、鷺と蓮で「一路連科」、つまり連続して科挙の試験に合格することを意味する。男女の恋愛と科挙への合格など、人生の願いが込められる。俵の胴に口を付けたものを俵壺というが、本作のような陶磁製の小型のものは、酒や醤油の容器として使われた。本作は形も整い釉調も青味があって美しい上に、卓抜な絵付けによって鶏龍山（けいりゅうざん）の俵壺として比類ない逸品である。本作に対する安宅氏の評価は相当高かったという。

（J）

粉青鉄絵 蓮池鳥魚文 俵壺
（ふんせいてつえ れんちちょうぎょもん ひょうこ）
朝鮮時代
15世紀後半～16世紀前半

壺に描かれた宮廷絵画

朝鮮王朝の花鳥画における吉祥文は、松竹梅（歳寒三友）などに代表される。朝鮮十五世紀中葉の文臣・姜希顔（一四一七～六四）は『養花小録』で人間が見習う品性として順に松、竹、菊、梅を取り上げ、これらが君子の徳であるとする。本作の胴には大きく交差した梅樹が巧みに表現され、背景の竹には微妙に顔料の濃淡がつけられ、一幅の絵画を見るかのようである。梅竹文は十五～十六世紀の朝鮮宮廷絵画に通じ、官窯に画員を遣わして絵付けをさせたという文献記録を裏付ける。高台裏面の干支銘「辛丑」は一四八一年であり、十五世紀末の青花の基準作となるだけでなく、宮廷絵画の資料としても貴重である。昭和四十七年（一九七二）の購入時、安宅氏の喜びには格別なものがあった。長く秘蔵して公開も躊躇していたほどである。（J）

青花 梅竹文 壺（「辛丑」銘）
（せいか うめたけもん つぼ／「しんちゅう」めい）
朝鮮時代
1481年

11

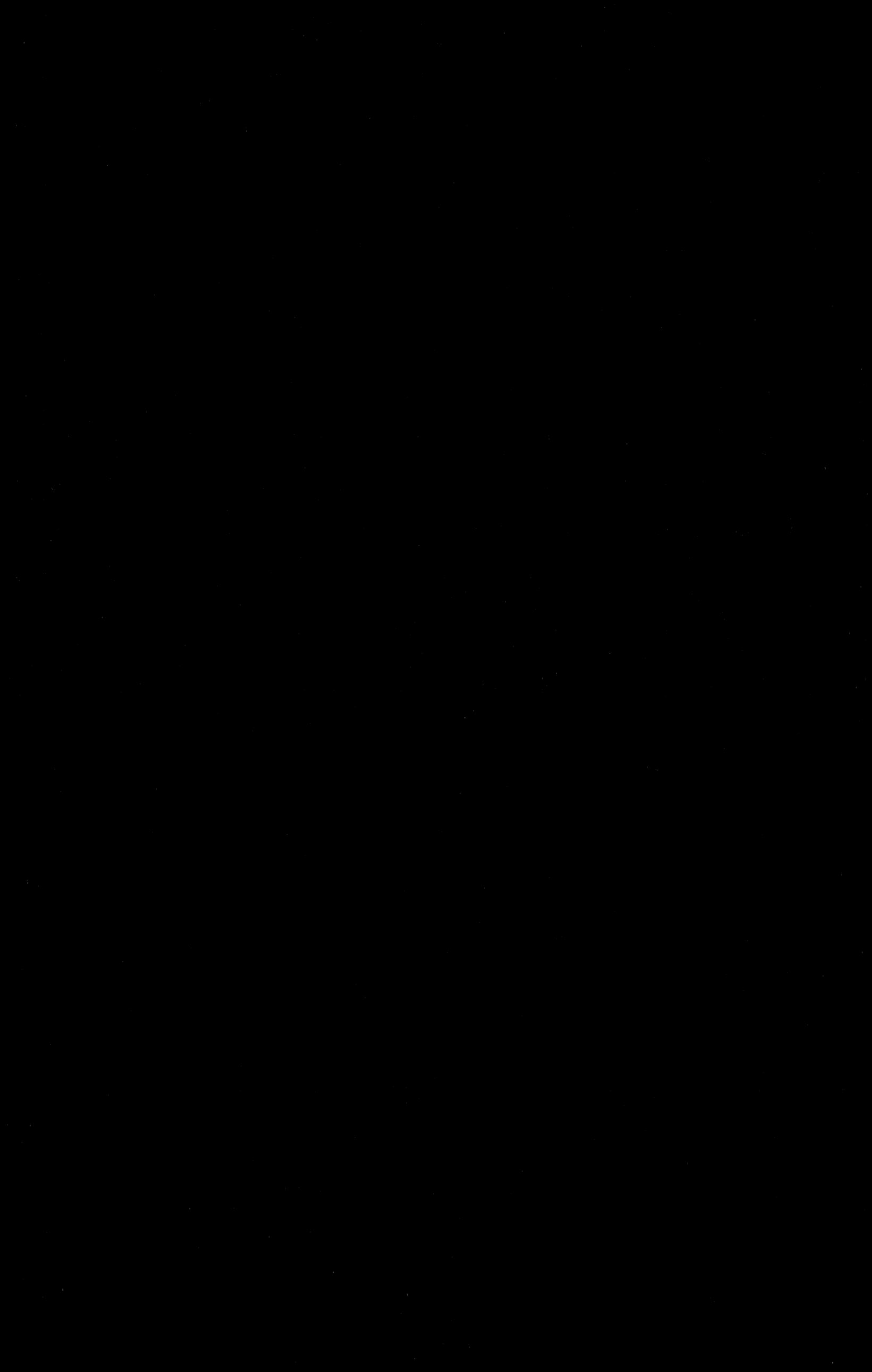

「三顧の礼をもって、ものは迎えなければなりません」

（安宅英一の言葉）
『美の猟犬』より

安宅氏によって生み出されたコレクションは、すべての作品に共通する品格がある。それらの作品を見出した類まれなる感性は中国陶磁のコレクションにも如何なく発揮される。

日本では長らく陶磁器に対する価値観は茶の湯文化によって形成されてきた。とりわけ中国陶磁は、「唐物（からもの）」として、日本のやきものとは別格の存在であった。

鎌倉時代以降の武家社会では、南北朝時代から室町時代にかけて、饗宴の中に正式に茶が位置づけられ、座敷飾りの作法が成立する。とりわけ大名の公式行事の飾り付けとして、「室礼」文化が成立。江戸時代、幕府は足利将軍家が秘蔵していた「東山御物（ひがしやまごもつ）」を第一に、中国文物を中心とした室礼を発展させた。室町時代の美意識や価値観は、江戸時代の大名家にも継承された。近代においても、数寄者と称される政財界の人々により、茶の湯の世界に適した唐物の収集が盛んに行われたが、茶の湯のうつわ以外の陶磁器が注目されることは少なかった。

近代に入り、大正中期頃（一九一五年頃）、「鑑賞陶磁（かんしょうとうじ）」というやきもの鑑賞の新たな概念が提唱された。陶磁器を純粋に鑑賞して楽しむ、という考え方である。とくに見直されたのが中国陶磁の世界で、漢時代の俑、唐時代の唐三彩や、明時代の法花などが、新たに脚光を浴びることとなる。

しかし、安宅コレクションは、茶の湯も鑑賞陶磁も骨董も、従来のどの価値観をも超越したコレクションといえる。中国・官窯の宮廷のうつわも民窯のうつわも包含する、純粋に美しいものを求めた求道者によるコレクションである。「ものをして 語らしむ」と語られた安宅氏の収集姿勢は、あらゆる伝統的な制約、概念から解き放たれることを志していた、といえるのではないだろうか。（M）

第二章　中国の美　五十選

摩天楼を夢みて

漢時代には木造の高層建築の技術が発達した。墓に副葬されるこうした建築模型からは、当時の高層建築の姿がうかがえる。最上層に弩(いしゆみ)を持つ人物が見られることから、この三層の建築は「望楼」と呼ばれる見張り台の役割も果たしていたことが分かる。高層建築が富と権力の象徴であるのは今も昔も変わらない。(K)

緑釉 楼閣(りょくゆう ろうかく)
後漢時代
2~3世紀

12

黄泉の世界に響く天鶏の鳴き声

注ぎ口が鶏の頭の形をした壺は「天鶏壺」（あるいは「鶏頭壺」、「鶏首壺」）と呼ばれる。魏晋南北朝時代を中心に流行し、注口が単なる飾りのものも多いため、実用品ではなく、墓に副葬する明器（めいき）であったと考えられる。本作は、龍をかたどったエレガントな把手が付く量感のある造形の大型の作例である。上半分ほどは釉薬が二度掛けされ、細かな貫入の生じた所々の釉だまりがヒスイのような美しさを見せる。（K）

青磁 天鶏壺（せいじ てんけいこ）
南北朝時代
6世紀

13

14

エキゾチックな副葬品

優美なシルエットの壺には、三方に型抜きによるエキゾチックなメダイヨン状の六弁花文様が貼り付けられている。さらに、緑釉と褐釉が掛け分けられ、白抜きのまだら文も加わり、幻想的で華やかな色彩と装飾的効果を高めている。三彩装飾は副葬用器や俑などの明器(めいき)に多く見られ、墓の中を華やかなものとしていた。（K）

○
三彩貼花 宝相華文 壺（さんさいちょうか ほうそうげもん つぼ）
唐時代
7～8世紀

15

古代ギリシャの風がふく

清涼な水を入れる水注は、時には酒器にも変身する。古代ギリシャで生まれた葡萄酒を注ぐための「オイノコエ」が原型である。唐時代、シルクロードを通じて、古代ギリシャ・ローマ文化の影響を受けたササン朝ペルシアなどの貴金属やガラス製のものが中国に伝来した。胴部にちりばめられた藍色の宝相華が美しい。（M）

三彩貼花 宝相華文 水注
（さんさいちょうか ほうそうげもん すいちゅう）
唐時代
7～8世紀

16

愛らしい仏教の守護者

左後肢を上げてあごの下を掻くような姿が愛らしい唐三彩（とうさんさい）の獅子である。獅子が坐（ざ）す「岩座（いわざ）」は、天王像など仏教における守護の役割を担うものにしばしば見られる。陝西省の臨潼慶山寺舎利塔塔基磚室（七四一年）などから類品が出土しており、この三彩獅子も仏教の守護者であったと考えられる。白抜きによる白斑を多用した濃厚な緑釉と褐釉の混じり合った色彩効果は獅子の迫力を増している。（K）

三彩 獅子（さんさい しし）
唐時代
8世紀

盛り髪のスリムビューティー

初唐の理想的女性像を反映した極端なまでに細腰痩身の姿態は、後の盛唐の豊満温雅な女性像の対極にあり、唐の理想とした女性イメージのダイナミックな変化がうかがえる。頭上に高く結上げた髪は、「半翻髻（はんほんけい）」と呼ばれる初唐に流行した髪型の一つである。朱、青、緑、黒の彩色に、さらに金彩や箔押しを加えた華麗な衣裳や装身具といい、その秀麗高雅な面持ちといい、あたかも仙女のような趣きが感じられる。その所作及び持物などには諸説あるが、静かなただずまいは舞妓楽伎というよりも宮女とすべきと考えられる。（K）

加彩 宮女俑（かさい きゅうじょよう）
唐時代
7世紀

17

18

表情豊かな黒いやきもの

まるで暗闇に浮かび上がる青白い彩雲。黒釉と白濁釉の融合により新たに生まれた淡青色がアクセントに。後漢時代以降、うつわ全体を黒釉で被い、所々に白釉を施す流動感のある装飾が流行した。無頸(むけい)の丸いぽってりとしたやわらかい器形と、がっしりとした脚部も魅力的である。唐時代の美意識の一端がうかがえる作品。（M）

黒釉白斑 壺（こくゆうはくはん つぼ）
唐時代
8〜9世紀

19

完璧を求めて　花への愛

白化粧した見込みのキャンバスに大輪の牡丹が君臨。褐釉、緑釉と白釉の鮮やかなコントラストが印象的である。唐三彩に憧れた遊牧民族、契丹族（きったんぞく）による型押しの三彩盤で、表面にかかる艶のある釉が華やかさを引き立てる。安住の地を求め続けた契丹族の意気込みを感じる逸品。（M）

三彩印花 牡丹文 盤（さんさいいんか ぼたんもん ばん）
遼時代
11～12世紀

20

白と黒のコントラスト

版画のようなモノクロームの世界。堂々とした胴部に力強い大輪の牡丹。自由で明快な表現が魅力的な民窯、磁州窯(じしゅうよう)の梅瓶。磁州窯は、白化粧したのちに黒泥を掛け文様部分を残して掻き落とす、「白地黒掻落(かきお)とし」の技法で一世を風靡した。よく見ると、削り落としたところにさらに白泥を塗り、コントラストを強調するひと手間も加えている。安宅氏が入手を切望した名品の一つ。（M）

黒釉刻花 牡丹文 梅瓶（こくゆうこっか ぼたんもん めいぴん）
北宋～金時代
12世紀

まるで水墨の世界

小さな傘をかぶったかのような可愛らしい口づくりが印象的な酒器。肩部が丸く張り、下部に向かって細くなるスラリとした姿の瓶を梅瓶（めいぴん）という。躍動感のある「風花雪月」の文字には、四季のすべてでお酒を楽しもうとする遊び心が込められた逸品。（M）

白釉黒花 風花雪月字 梅瓶
（はくゆうこっか ふうかせつげつじ めいぴん）
金時代
12世紀

21

緑のなかに花開く黒牡丹

二十世紀はじめに「再発見」された磁州窯（じしゅうよう）の製品は、民窯ならではの活力ある自由奔放な文様表現や日本では陶器に分類される土味などから日本人に大変好まれた中国陶磁の一つである。磁州窯の特徴である白化粧を塗った上に、鉄絵具（黒泥）を塗り、文様の背景の部分を掻（か）き落して、さらに全体に緑釉を施して焼いたものである。緑の背景に生命感あふれる黒い牡丹文様を浮かび上がらせている。白と黒の対比が多い磁州窯の中でも、緑と黒の対比が美しい、見事な作例である。磁県観台窯址の考古発掘成果によると、このタイプは金時代のものとされる。

一九七三年にパリのオランジュリー美術館（Musée de l'Orangerie）で開催された「古代中国美術展（Arts de La Chine Ancienne）」への出品歴があり、のちに著名な古美術商・コレクターの仇焱之（Edward.T.Chow、一九一〇～八〇）の手を経て安宅コレクションに加わった。（K）

◎ 緑釉黒花 牡丹文 瓶（りょくゆうこっか ぼたんもん へい）
金時代
12世紀

22

23

その姿は貴婦人

すらりと伸びた注ぎ口、光を包み込むかのような清らかな釉色が特徴の瓜形水注。北宋時代、宮廷で好まれた景徳鎮窯(けいとくちんよう)は、白磁の胎土に青みをおびた透明釉を施し、「青白磁」で深みのある美しい水色を生み出した。（M）

青白磁 瓜形水注（せいはくじうりがたすいちゅう）
北宋時代
11世紀

人肌のような白いうつわ

　上品なあたたかい白さがまるで人肌のようである。白磁で名高い宋代の五大名窯のうちの一つ、定窯でつくられた瓶。その薄い器体に彫り出された優美な牡丹唐草に魅了される。失われてしまった口縁部は、どんな口の形をしていたのだろう、と想像する楽しみを私たちに与えてくれているのかもしれない。（M）

白磁刻花 牡丹文 瓶
（はくじこっか ぼたんもん へい）
北宋時代
11世紀

24

白い「神器」

定窯白磁特有の牙白色（アイボリー・ホワイト）の色艶には温雅な趣きと気品の高さが感じられる。胴部が瓜形状となった大ぶりのうつわの内外に鋭く流麗な彫りで表された蓮花文に目をこらすと、その清廉可憐さに息をのむ。定窯白磁が宋時代以来の宮廷でも好んで用いられたことも十分理解できる。さらに驚くのは光を通すほど薄く成形されている点であり、並々ならぬその技術は手にすると一層実感できる。

二十世紀の日本を代表する古美術商・廣田松繁（一八九七～一九七三、号・不孤斎（ふっこさい））が《柴紅釉 盆》（作品番号51）と《五彩松下高士図 面盆》（作品番号59）とともに秘蔵していた「三種の神器」の一点である。「三種の神器」を所望した安宅氏は不孤斎に書簡で断られていたが、ある日安宅氏に呼ばれた不孤斎が座敷に通されると、床の間の軸になんと自身が送った断りの書簡が見事に表装され飾られていた。すかさず、背後で深々と頭を下げ、手をついた安宅氏が「例の物をなにとぞ、お譲りのほどを」と懇願して動こうとしない。さすがの不孤斎も「いやぁ、参りました」と。稀代の眼をもつ二人だからこそのやりとりといえる。（K）

◎
白磁刻花 蓮花文 洗（はくじこっか れんかもん せん）
北宋時代
11～12世紀

25

研ぎ澄まされた白銀世界

うつわの見込みには大きく羽根を広げ飛翔する一対の花喰鳥、そのまわりを花や蝶、唐草が埋め尽くす。金時代、つづれ織りも盛んであった定州ならではの装飾性の高い白磁は、宮廷でも人気が高かったという。十一世紀以降、うつわを伏せて焼くために口縁の釉をはいだことから、銀の縁取り（覆輪）が付く。この覆輪の銀の縁取りがうつわ全体を引き締め、作品の魅力を高めている。（M）

白磁印花 花喰鳥文 盤
（はくじいんか はなくいどりもん ばん）
金時代
12～13世紀

26

27

白磁に咲く満開の黄牡丹

薄手の白磁の胎土に鉄泥を薄く掛け、文様の背景部分を掻(か)き落とし、さらに花弁や葉脈など細部は刻花で表している。黄褐色の満開の牡丹唐草文が白磁の中に浮かび上がる。金の「皇統元年（一一四一）」の墨書銘のある枕に類似の技法が見られる。

三菱第四代社長、岩崎小彌太（一八七九～一九四五）旧蔵品で、小山冨士夫『宋磁』（聚楽社、一九四三年）に掲載されている名品である。同じく重要文化財の《青磁刻花 牡丹唐草文 瓶》（作品番号2）と並べての陳列を安宅氏はとりわけ好んだという。贅沢な美の競演は今も多くの人々の目を楽しませる。（K）

◎白磁銹花 牡丹唐草文 瓶（はくじしゅうか ぼたんからくさもん へい）
金時代
12世紀

28

オリーブグリーンの重厚感

青磁の中でも萌黄色に近い発色が印象的な金時代の耀州窯（ようしゅうよう）青磁。香を焚く道具として発展した香炉の中でも大型の作例で、胴部には中国古代青銅器を源泉とする夔鳳文（きほうもん）が施される。夔鳳文は青銅器ではわき役だった鳳凰が進化したもの。器形も青銅器の鼎（かなえ）に倣った器形であり、三脚にあしらわれた獣面文がどっしりとした重厚さを加える。（M）

青磁貼花　夔鳳文　香炉（せいじちょうか　きほうもん　こうろ）
金時代
12世紀

29

流転の名品

金属器を模した長頸の八角瓶で、見事なバランスのプロポーションである。底部にのぞく褐黒色の胎土、薄く成形された器胎、多層掛けされた乳濁気味の淡青緑色の潤いのある厚い釉薬など、南宋官窯にふさわしい品格と特徴を有している。修内司官窯とされる杭州老虎洞窯址や杭州烏亀山の郊壇下官窯址でも類品が出土している。

底部には故宮（清朝宮廷）の整理番号と考えられる「七百五十一號」銘の貼紙が見られる。さらに、英国のコレクター・F・C・ハリソン（F.C. Harrison）からオックスフォード大学アシュモレアン美術館への貸出シール（一九〇三年）、ロバート・C・ブルース（Robert C. Bruce、一八九八～一九五三）の所蔵シール、そしてロンドンのオリエンタル・セラミック・ソサイエティー（Oriental Ceramic Society）開催の展覧会（一九五二年）への出品シールも見られ、その後の来歴を示す。本作はかつてサザビーズ（一九四三年、一九五三年）とクリスティーズ（一九七〇年）のオークションに出品され、後者の落札額は東洋陶磁としては当時の最高額を記録した。（K）

青磁 八角瓶（せいじ はっかくへい）
南宋時代
12～13世紀

30

鎹転じて福となす

日本には鎌倉時代以降、宋、元、明時代と様々な龍泉窯青磁がもたらされ、賞玩されてきた。本作は江戸時代の大坂の豪商・鴻池家伝来の頸部の長い優美な姿と釉色の青磁の花生である。十八世紀の鴻池家の道具帳には「カスカヒ（鎹）」と記載がある。長い頸の部分には数本ひび割れが見られ、それを金属の鎹で修復しており、それがこの花生の特徴として銘になったものである。美しい龍泉窯の花生に生じたアクシデントと鎹による修復を逆に見どころとした発想は見事である。数々の古美術コレクションでも知られる文豪・川端康成（一八九九～一九七二）旧蔵品。（K）

青磁 長頸瓶 銘「鎹」（せいじ ちょうけいへい めい「かすがい」）
南宋時代
13世紀

「砧青磁」の奏でる響き

南宋時代に龍泉窯でつくられた青磁は貿易により日本に数多くもたらされた。なかでも「粉青」色ともいわれるやや乳濁した淡い青緑色のものは、日本では「砧手」あるいは「砧青磁」と呼ばれ、書院や茶席などを飾る唐物として珍重された。本作は、多層掛けされた釉薬が玉のような潤いのある質感を見せている。直線と曲線を効果的に用いた左右対称の絶妙なバランスの造形は、青磁の美しさを一層引き立て、花生としての機能美を見せている。とりわけ鳳凰をかたどった両耳の付くこのタイプは、「鳳凰耳花生」と呼ばれ、国宝の銘「万声」（和泉市久保惣記念美術館蔵）や重要文化財の銘「千声」（陽明文庫蔵）など名品が多く知られる。「砧」のネーミングは諸説あるが、唐・白居易「聞夜砧」など日本で受容された漢詩の世界観を踏まえたものといえ、美しい青磁の花生から様々なイメージを膨らませた日本ならではの賞玩スタイルといえよう。耳をすませば、砧を打つ音が聞こえてくるかもしれない。丹波の篠山藩主青山家旧蔵とされる伝世品である。

（K）

◎
青磁 鳳凰耳花生（せいじ ほうおうみみはないけ）
南宋時代
13世紀

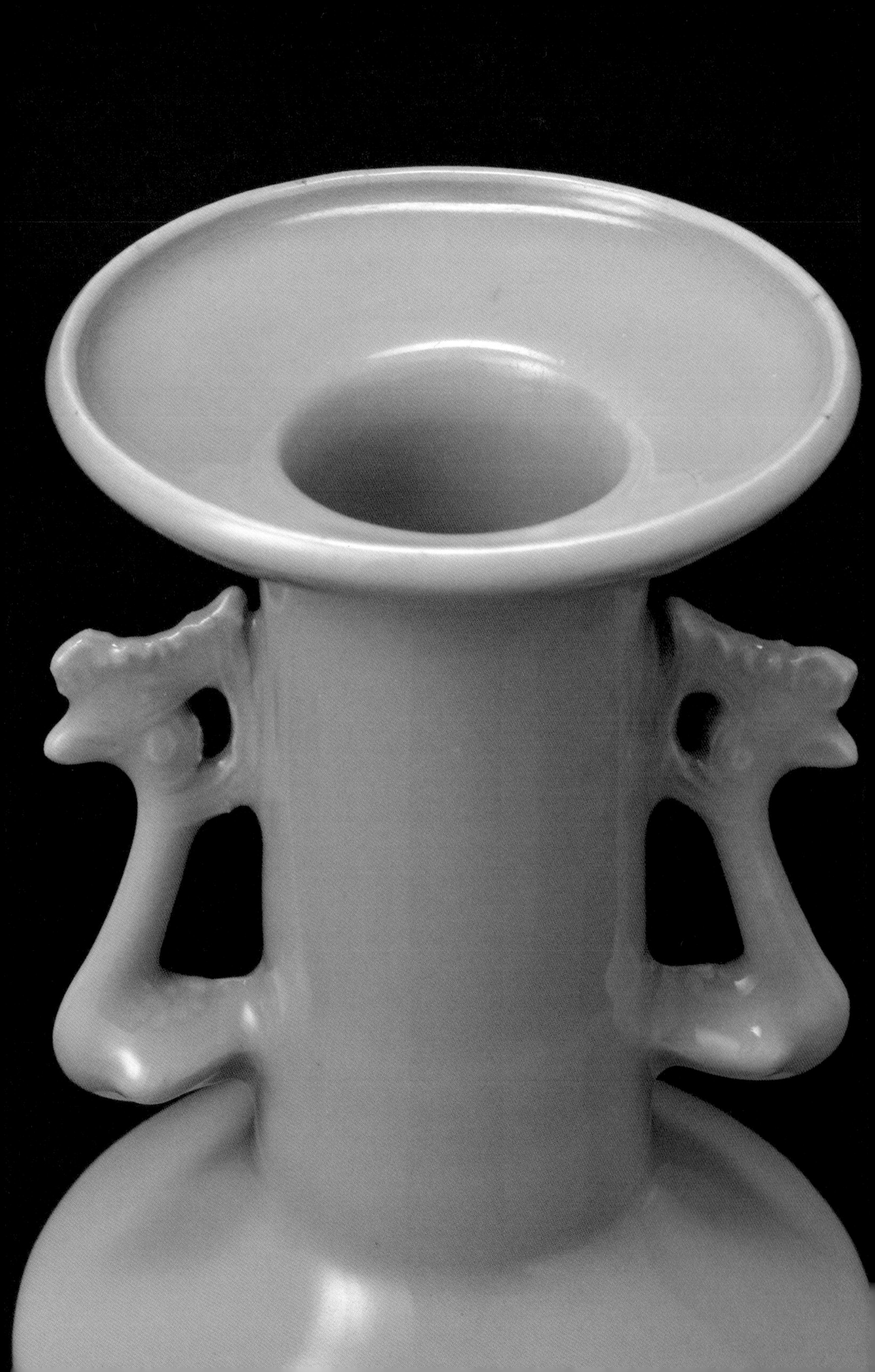

32

強烈！　氷裂の美

哥窯は明時代の文献に宋代五大名窯の一つに挙げられている。南宋官窯青磁のような「紫口鉄足」と呼ばれる鉄分の多い胎土由来の口部や底部の特徴、「金絲鉄線」ともいわれる全面に見られる無数の細かな貫入（胎土との収縮率の違いにより釉薬に生じるひび割れ）がその特徴とされる。本作は古代の青銅礼器の「觚」をモチーフとしたとされ、胴の両側の管耳を含め美しい曲線を見せる造形である。何より全面に生じた細かな灰黒色の氷裂状の貫入が独特の強烈な「景色」となっている。中国ではこうした貫入の美しさをたたえたうつわは「碎器」とも呼ばれ、「碎」と「歳」の音（sai）が通じることから、「年年歳歳」の吉祥文としても好まれた。（K）

青磁 管耳瓶（せいじ かんじへい）
南宋～元時代
13世紀

万の色と謳われたうつわ

「青」という色に無限の可能性を見出した鈞窯(きんよう)のうつわ。当時、黄金以上の価値があるとされた「澱青釉」のうつわは、青みが強い灰青色の釉薬が特徴。高い温度でうつわを焼成する際に、釉薬が溶け合い神秘的な紫紅色のムラを誕生させることに成功した。小品ながらも灰青色に紫紅色の斑文が映えて幻想的な世界へと誘う。（M）

澱青釉紫紅斑 杯
（でんせいゆうしこうはん はい）
金時代
12～13世紀

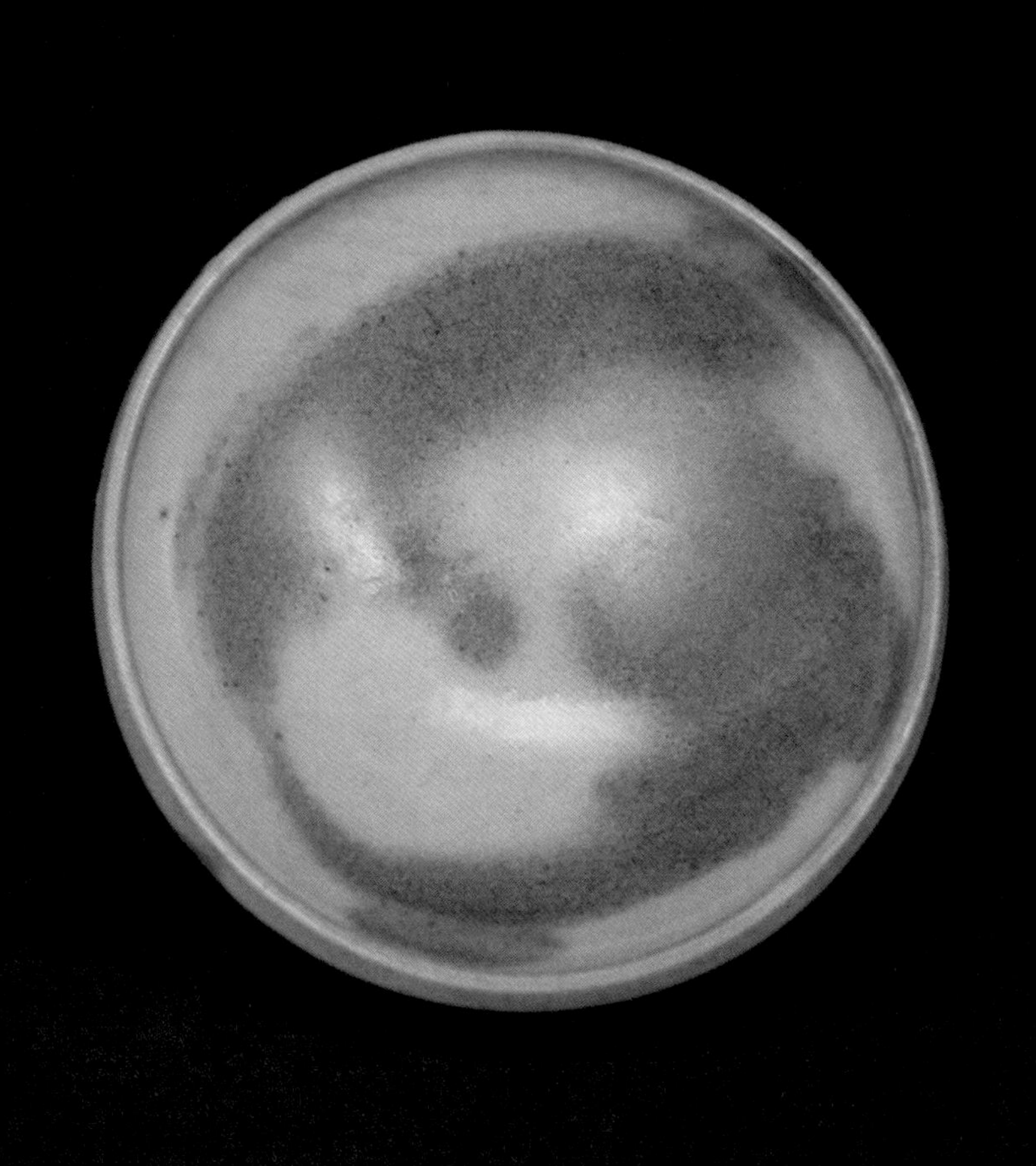

月の光をまとった茶碗

朝顔の花のような端反りのシンプルで美しい器形と、「月白釉」とも呼ばれる鈞窯特有の失透性の淡青色の釉色には独特の気品が漂う。同形のやや大ぶりな碗は、金時代の黒釉などに多く見られ、これらは南宋の建窯の天目のそれを踏襲したものだろう。月の光のような淡いスカイブルーの鈞窯の茶碗は、天目とは全く違った趣を見せ、当時の喫茶文化の幅広さがうかがえる。（K）

月白釉 碗（げっぱくゆう わん）
金時代
12～13世紀

35

崇め尊ばれたコバルトブルー

小さな頭、細く躍動感のある頸、長く伸びた体。まるで跳躍するかのような龍の姿に、元時代の人々は王者の精神を込めたという。元時代、とくに尊ばれた青色（瑠璃釉）を全面に使い、三爪の龍と火焔宝珠を白抜きする、いわゆる「白花」で表し、龍の鱗など細部は細い線刻で表現している。（M）

瑠璃地白花 龍文 盤（るりじはっか りゅうもん ばん）
元時代
14世紀

魚は目が命

堂々たる胴の中央の区画には、蓮池をおよぐ様々な姿の魚がコバルト顔料（呉須）で描かれている。正面にやや上向きに描かれたややグロテスクな魚は鱖魚と呼ばれる淡水魚で、ギザギザのトゲのある背びれや斑点が特徴的である。何よりその目が生き生きと描かれており、生命感と躍動感を表している。水中の蓮や藻類も負けず劣らず存在感ある筆致で描かれており、蓮池魚藻の生きた世界が壺に展開している。芸州（広島）藩主浅野家伝来ともいわれるが詳細は不明である。（K）

◎青花 蓮池魚藻文 壺
（せいか れんちぎょそうもん つぼ）
元時代
14世紀

36

イスラムの波に乗って

外周から波涛（はとう）、牡丹唐草、また波涛、と躍動感のある文様で囲まれた見込みの中央は、六花弁の中に海螺（かいら）、厭勝銭（えんしょうせん）など宝尽くしの雑宝文を描く。波涛は白地に青、牡丹唐草と中央は青地に白とこだわりが詰まった逸品。宝相華は、牡丹を中心とした空想上の五弁花で、仏教において仏教の功徳を宝の姿と見立てて華とした吉祥思想から生まれた。青花は、磁器の素地にコバルトで彩色を施し、その上から透明な釉薬を掛けて高温焼成したもの。器形や意匠は金属器が源泉とされる。イスラム圏から良質なコバルトが輸入され、元時代の青花はその美しさを存分に発揮。イスラム圏でも宮殿や寺院を華やかに飾った。（M）

青花 宝相華唐草文 盤（せいか ほうそうげからくさもん ばん）
元時代
14世紀

筆勢映えわたる

絵付けの前にひと工夫。牡丹の花弁と葉の部分に陰刻を施し、コバルトの濃淡によって立体的な表現に成功している。画面を区切り、深みのある大輪の牡丹で上下挟まれた三爪の龍が、まるで牡丹の花畑を伸びやかに飛翔するかのような構図となる。下部は、釣鐘型の蓮弁の中に雲状の渦文様が描かれた「ラマ式蓮弁文」をめぐらす。ラマ教（チベット仏教）の寺院飾りから発展した文様の一つである。鐶（かん）を通す孔つきの獣面形の両耳が、作品の迫力を一層引き立てる。

（M）

青花 龍牡丹唐草文 双耳壺
（せいか りゅうぼたんからくさもん そうじこ）
元時代
14世紀

38

牡丹の帯を身に纏（まと）う

口は小さく、肩が大きく張った、元時代の梅瓶。胴部の上下の余白が真ん中の牡丹唐草を強調。青花磁器には珍しい構図で、新鮮な印象を与える。花弁や葉の部分には細かい陰刻線を加え、色の濃淡で文様を立体的に見せることに成功している。下部は蓮弁の中に石榴のような文様が描かれ、華やかさを引き立てている。（M）

青花 牡丹唐草文 梅瓶（せいか ぼたんからくさもん めいぴん）
元時代
14世紀

39

40

青から赤へ

見込みの牡丹に、淡い赤色が穏やかに差している。元時代、青花技法の完成という中国陶磁史の画期の裏で、文様を赤く発色させる「釉裏紅」と呼ばれる技法が誕生した。明時代になって、初代皇帝の洪武帝（一三二八〜九八）が海禁策を発布すると、青花に必要なコバルトの輸入が滞り、銅顔料を用いる釉裏紅が流行する。洪武帝が赤を尊んだことも後押しとなったようだ。ところが、銅顔料は焼成温度に敏感なため発色が不安定で、思うように赤を出すのが難しかった。本作も燃焼温度が低かったため大部分で黒色に変化している。ただ、そのためかえって主題の牡丹の赤に目が留まる。こうした瀟洒な仕上がりは、赤の発色の良し悪しだけが釉裏紅の見どころではないのだと教えてくれている。

（T）

釉裏紅 牡丹文 盤（ゆうりこう ぼたんもん ばん）
明時代
洪武（1368〜1398）

オスマン帝国のスルタンも愛した青花磁器

明時代の永楽年間にはこうした大型の盤が、いわゆる「鄭和の大遠征」などにより中近東のイスラム世界にもたらされた。トルコのトプカプ宮殿には景徳鎮窯の青花磁器や龍泉窯青磁の大盤が多数伝世している。オスマン帝国の細密画には、青花磁器の大盤を囲んでのスルタンらの饗宴の様子が描かれている。本作は口縁部が稜花形に成形されており、少しのゆがみもなく焼き上げられており、永楽期の景徳鎮官窯（御器廠（ぎょきしょう））の技術の高さをうかがわせる。大盤はコバルト顔料による絵付けのキャンバスとしても最適で、ここでは枇杷（びわ）の実をついばむ綬帯鳥（じゅたいちょう）が濃淡をうまく使い、余白を生かして描かれ、一幅の絵画となっている。綬帯鳥は長寿と出世の象徴、枇杷は金色の実をたわわに付けることから富と繁栄の象徴で、周囲にも柘榴や桃など瑞果文でうめつくされている。

安宅コレクションには重要文化財ではないが同手の大盤がもう一点収蔵されている。

（K）

◎
青花 枇杷鳥文 盤（せいか びわとりもん ばん）
明時代
永楽（1403~1424）

内府

内府秘蔵の瓶と酒

明時代の永楽年間に景徳鎮官窯でつくられた梅瓶。永楽官窯の白磁は「甜白（てんぱく）」と呼ばれる純白に近い潤いのある釉色と質感が特徴である。楚々たる白磁の肩には、鮮やかな青花による上品な楷書体で「内府」の二字が書かれている。永楽帝（えいらくてい）の宮廷内の御用品にふさわしい品格を見せる。類品が台北の國立故宮博物院などにも見られるが、蓋を伴うのはこの一組だけである。中には何をいれていたのか興味あるところだが、明時代のこうした梅瓶は酒瓶であることが多く、皇帝はじめ宮廷内で供される最高級の酒が貯蔵されていたのであろうか。（K）

青花 内府銘 梅瓶
（せいかないふめい めいぴん）
明時代
永楽（1403～1424）

空高く舞い上がれ

荒波を背に飛翔する白龍をよく見ると、うろこなど体を陰刻で繊細に表した丁寧なつくりに気付く。青を点じた眼の力強いまなざしも印象的である。胴部の荒々しさとは対照的に、頸部の可憐な花唐草文が洗練された雰囲気を醸し出す。胴部の張りと頸部の長さが特徴的な扁壺である。力強く明るいコバルトブルーは、良質なコバルト顔料がなければ表現できない貴重な色。トルコのトプカプ宮殿にも銀製の蓋が付いた同形品が伝世するなど、世界の人々を魅了した明代の青花磁器の逸品である。（M）

青花 龍波濤文 扁壺
（せいかりゅうはとうもん へんこ）
明時代
永楽（１４０３〜１４２４）

43

甘いライチの香り

たわわに実る茘枝（れいし）（ライチ）。中国唐時代の楊貴妃も好んだ甘く芳香な茘枝は、長寿や子供の誕生を願う吉祥文様として尊ばれた。器形は、中国で「抱月瓶」とも呼ばれる満月のようにふくよかな扁壺で、伸びやかに描かれた茘枝との調和が美しい。イスラム製の金属器を起源とする細長い円筒形の口、雲形の双耳が華やぎを加える。茘枝の折枝文を挟むように、肩と胴裾に波濤（はとう）文、口部には蕉葉（しょうよう）文が描かれる。（M）

青花 茘枝文 扁壺（せいか れいしもん へんこ）
明時代
永楽（1403~1424）

44

45

うつわに描かれた絵画

花樹にとまる二羽の小禽、注ぎ口の唐草文、ラッパ形の口頸部には蕉葉文（しょうようもん）、下部にちらりと見える蓮弁文など、コバルトの濃淡で表現された繊細な筆致に注目したい。雲形の梁、及び屈曲する把手、細く華奢な注ぎ口に対し、太く重厚感のある胴部との対比が魅力的な水注である。こうした形状の水注は、イスラムの金属製の水注を祖型とした形で、仙盞瓶（せんさんびん）とも呼ぶ。（M）

青花 花鳥文 水注（せいか かちょうもん すいちゅう）
明時代
永楽（1403〜1424）

堂々たる官窯の風格

深みのある青色で、規則正しく配された大輪の宝相華。大きく開いた口頸部は力強く、どっしりとした形状の肩部には横一行で宣徳帝の時代に製作されたことを示す「大明宣徳年製（だいみんせんとくねんせい）」の文字が記される。イスラム地域から持ち帰ったとされるコバルト「蘇麻離青（そまりせい）」によって、にじみによる深い味わいが青花磁器に加わる。だみ染めで濃淡まじりあう宝相華は力強く、とりまく唐草は躍動感をもち、まさしく宮廷のうつわである。

明時代、芸術文化が華開いた宣徳帝（せんとくてい）の治世に、官窯としての景徳鎮窯（けいとくちんよう）の体制が整備され、宮廷用のうつわには年款銘が記されることとなる。（M）

青花 宝相華唐草文 壺（「大明宣徳年製」銘）
（せいか ほうそうげからくさもん つぼ／「だいみんせんとくねんせい」めい）
明時代
宣徳（1426～1435）

46

大明宣德年製

前田家のお殿様も愛した 瑠璃地白花

艶やかなネイビーブルーの瑠璃釉の地に白抜きで満開の牡丹を中心に、桃、杏、柘榴、枇杷、茘枝、柿の六つの瑞果文が周囲に配されている。文様の細部にはさらに線刻により花弁や葉脈などが表現されている。外側面には白花で宝相華唐草文がめぐり、口縁部近くには白抜きの長方形内に横書の「大明宣徳年製」の青花銘が見られる。景徳鎮官窯（御器廠）において年号銘が記されるようになるのはこの宣徳期からである。景徳鎮官窯遺址からは瑠璃地白花の作例の他、同じ牡丹文様の色違い（青花、黄地青花、白磁褐彩）の作例も出土している。

なお、加賀藩主前田家江戸屋敷遺跡（本郷邸）からも類品の破片が出土しており、前田家の審美眼の高さをうかがわせる。（K）

◎
瑠璃地白花 牡丹文 盤（「大明宣徳年製」銘）
（るりじはっか ぼたんもん ばん／「だいみんせんとくねんせい」めい）
明時代
宣徳（1426～1435）

47

48

玉にも優る美しさ

外側三方に描かれた瓜。蔓が長く伸び、たわわに実を付ける瓜は、子孫繁栄の象徴として好まれた。「甜白（てんぱく）」と評された白いうつわに、瓜の絵の上品さが際立つ。かすかに黄みがかった素地に、青みがかった釉薬を使うことで生まれた優美さは、白磁の頂点を極めたといえる。わずかに反った口縁、低い高台をもつ碗は宮廷で飲食器として使われたもの。欧米でも「パレス・ボウル」と呼ばれ珍重された。

（M）

青花 瓜文 碗（「大明成化年製」銘）
（せいか うりもん わん／「だいみんせいかねんせい」めい）
明時代
成化（1465〜1487）

鳳凰、典雅に舞う

見込みと外側面に描かれた一対の鳳凰。鳳凰は、雄を鳳、雌を凰という。鳳凰が一緒に飛び、相和して鳴けば天下泰平の世であるとされた。飾冠と長い尾をもつ鳳凰だが、明時代に入ると細い首、切れ長の目という新しい特徴が加わる。洗練された白磁、発色よくむらのないコバルトで精緻に描かれた宝相華と鳳凰は、完璧ともいえる仕上がり。高台内に「大明成化年製」銘があり、成化(せいか)時代の官窯作品であることを示す。(M)

青花 鳳凰文 盤(「大明成化年製」銘)
(せいか ほうおうもん ばん/「だいみんせいかねんせい」めい)
明時代
成化(1465〜1487)

49

瑠璃色の花鳥ワールド

法花とは文様に凸起状に盛り上げた輪郭線をつくり、藍、白、黄、緑、紫などの低火度鉛釉を塗り分けて文様を立体的に表す方法である。瑠璃瓦や銅胎七宝（しっぽう）の技法や意匠との関連も指摘されている。法花は陶胎と磁胎の二種に分けられるが、本作は景徳鎮窯産と考えられる磁胎で、法花としては最大級の作例である。胴の二面には花樹に止まるつがいの鳥が浮き彫り風に生き生きと描かれており、その間には蝶も舞う。下方には豪快な波濤や岩が見られる。濃紺とターコイズブルーなど藍や青系の色をベースに白や黄が効果的に用いられ華やかで優美さをそえている。

著名な古美術商・コレクターの仇焱之（Edward.T.Chow、一九一〇〜八〇）旧蔵品。（K）

◎法花 花鳥文 壺（ほうか かちょうもん つぼ）
明時代
15世紀

50

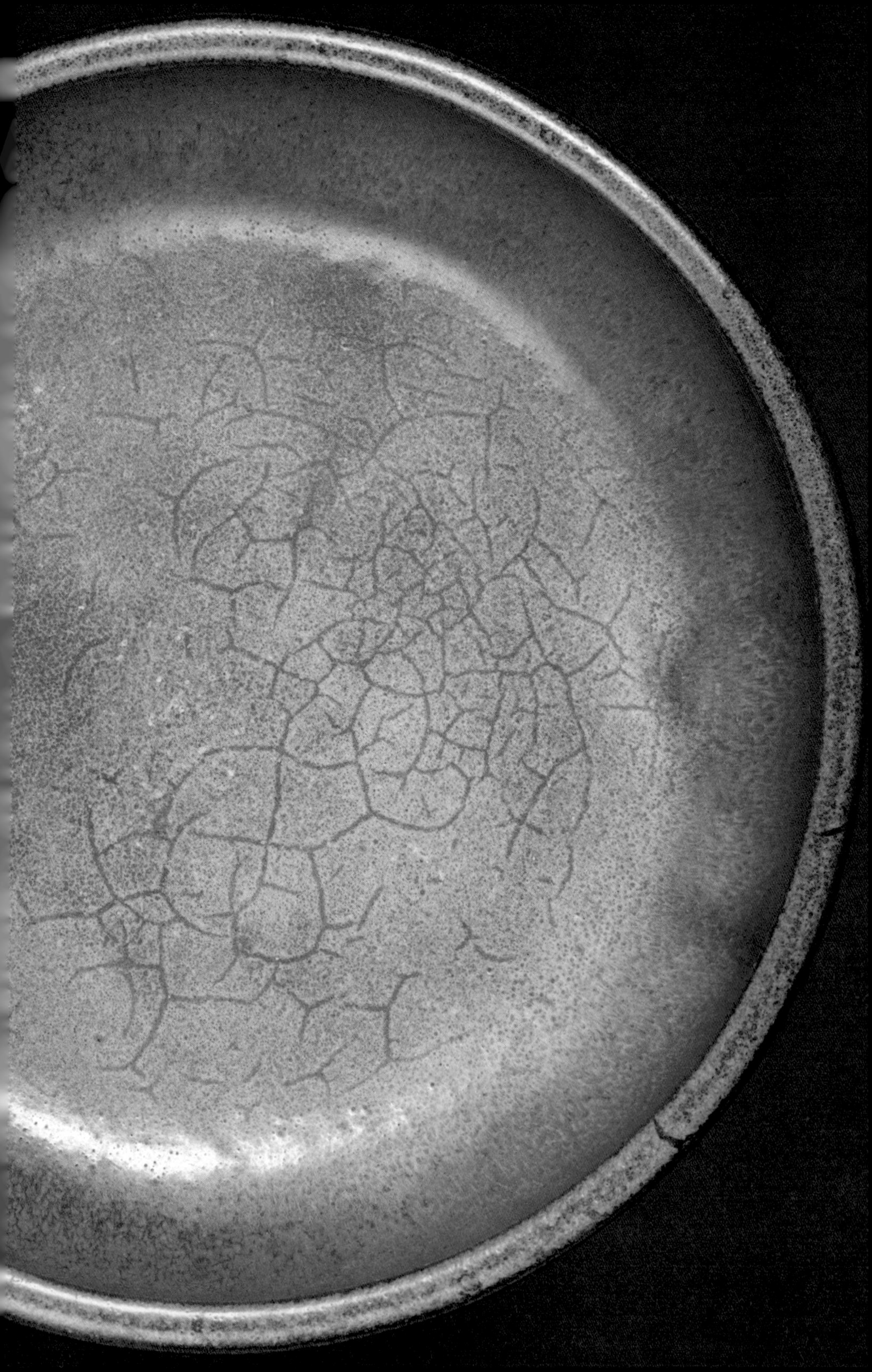

深い深い青の色

うつわの見込みの青色釉は、光り輝く不透明な釉薬。外面は艶やかな紫がかった紅色。酸化銅を加えることで鈞窯（きんよう）独自の釉色を誕生させた。見込みのミミズが走ったような文様は鈞窯の特徴の一つ。明時代の鈞窯で厳しい審査を通過した宮廷用のうつわ。清時代にも皇帝を魅了し続け、秘蔵された。

目利きとして知られた廣田不孤斎（ひろたふっこさい）秘蔵の「三種の神器」の一つに数えられる。（M）

紫紅釉 盆（しこうゆう ぼん）
明時代
15世紀

51

52

皇帝の色、それは黄色

見込みの真ん中に柘榴（ざくろ）を、その周りを柿、桃、茘枝（ライチ）、桜桃（さくらんぼ）が描かれる。西アジアで多産の象徴とされた柘榴。中国でも子孫繁栄の吉祥文として好まれ、元時代以降、折枝果実文として主役となった。その他の果物も瑞果として好まれたものばかり。黄色のうつわは、青花の盤を焼成した後に、その白地部分に黄釉を塗り、九百度程度の低火度で再度焼成することで誕生した。濃厚な黄地に藍ともいえる濃い青色が鮮やかに映える。（M）

黄地青花 折枝花卉文 盤（「大明正徳年製」銘）
（おうじせいか せっしかきもん ばん／「だいみんせいとくねんせい」めい）
明時代
正徳（1506〜1521）

稀代の黄龍

　五本爪の黄色い龍が鮮紅地から浮かび上がる。工程としては、焼成した白磁全体に黄色釉を掛け、再び焼成する。そして褐色釉で龍の輪郭など文様を描き起こし、周囲を紅彩で塗りつぶしてから三度目の焼成を行って仕上げる。つまり工程上は黄が下地であり、それが紅彩の明るい発色にも一役買っている。濃密な彩色は嘉靖（かせい）期に好まれたが、本作は同タイプのなかで、大きさでも発色の鮮明さでも群を抜き、さらに共蓋（ともぶた）まで遺る稀代の作例である。
（T）

黄地紅彩 龍文 壺（「大明嘉靖年製」銘）
（おうじこうさい りゅうもん つぼ／「だいみんかせいねんせい」めい）
明時代
嘉靖（1522～1566）

53

時代が生み出すもの

　昭和、平成、令和でそれぞれ空気が異なると感じてしまう昨今だが、中国美術史も同様に、皇帝の治世を区切りとして各時代の様式や特徴を語り出そうとする。その中でも明朝十二代皇帝の嘉靖帝（かせいてい）の治世は中国陶磁史上最も色彩に溢れた時代といえるだろう。本作は作品番号55と同じく、白地を残さず上絵（うわえ）の具で全面を覆う雑彩（ざっさい）に分類され、その濃密な彩色が魅力だ。赤色の宝相華唐草文の上に緑釉がはみ出ている箇所が確認できるので、焼成した白磁に赤色で文様を描いてから余白を緑釉で塗りつぶし再焼成したのだろう。

　神仙世界の象徴である瓢箪の形をした瓶がこの時代に流行するのも嘉靖帝が道教に傾倒したことが背景にあるという。　（T）

緑地紅彩 宝相華唐草文 瓢形瓶（「大明嘉靖年製」銘）
（りょくじこうさい ほうそうげからくさもん ひょうけいへい／「だいみんかせいねんせい」めい）
明時代
嘉靖（１５２２〜１５６６）

54

可憐に恋する

作品番号54の単なる色違いと思うことなかれ。細やかな差異があり、可憐さでは本作に軍配が上がると思うのだが、いかがだろうか。唐草や梅花などの文様をコバルトで描いて青花としていったん焼き上げた後、余白を黄色釉で塗りつぶしてさらに焼成し、牡丹を紅彩で表して最後の焼成を行っている。黄色を下地とするので、赤の発色は作品番号54よりも濃く鮮やか。また腰部分の梅花文の散らし具合と配色は、北欧デザインをも彷彿とさせるかわいらしさである。さらに、腰部分の引き締まりが上下の膨らみを強調し、全体に調和をもたらしている。（T）

黄地青花紅彩 牡丹唐草文 瓢形瓶（「大明嘉靖年製」銘）
（おうじせいかこうさい ぼたんからくさもん ひょうけいへい／「だいみんかせいねんせい」めい）
明時代
嘉靖（1522～1566）

55

ブランドの向こうにみえたもの

鑑賞に徹して名品主義を貫いた安宅コレクションだが、茶の湯の世界で愛された中国陶磁のジャンルが顔を覗かせることがある。本作もその一つ。「金襴手(きんらんで)」と呼ばれ、五彩磁器に金彩を施したもの。茶人とは違って、安宅氏の眼にはどう映っていたのだろうか。

本作は赤の発色の鮮やかさや金彩の残り具合の良さに加え、端正なたたずまいが魅力だ。器形の起伏に合わせて巧みに文様が配置された姿は、さながら瓢箪のポリゴンデータと喩えられるだろうか。曲線と直線のあわいで構成されたその姿は、自然物の瓢箪と人工物の瓢形瓶との境界を考えさせる。（T）

五彩金襴手 瓢形瓶
（ごさいきんらんで ひょうけいへい）
明時代
16世紀

56

57

舞女の注ぐお酒は富貴の味？

後補の髷（まげ）が蓋で、一枝の花を手にした右手の袖口が注口、そして左腕が把手となる舞女の姿をかたどった酒注である。温和な笑みをたたえた上品な顔立ちは美しく、長袖（ちょうしゅう）を翻（ひるがえ）し、右足を上げ優雅に舞う姿を見せている。衣装も華やかであり、宮廷の舞女を思わせる。明時代中期以降、奢侈（しゃし）の風が広まり、酒宴での歌舞や伎楽は欠かせないものであった。美しい舞女から注がれる酒はどんな味だったのだろう。高台内には青花による「富貴佳器」の吉祥銘が見られる。

また、江戸時代の宝永六年（一七〇九）銘の箱書きには、「加藤越中守殿」〔近江水口藩第二代藩主、下野壬生藩初代藩主の加藤明英（一六五二～一七一二）〕伝来と記される。（K）

五彩金襴手　婦女形水注（ごさいきんらんで　ふじょがたすいちゅう）
明時代
16世紀

色を尽くして

本作は文様の構成もよく練られているが、何より色彩感覚が抜群だ。葉や二重円圏などをまず青花として焼成。その上から赤、緑、黄で花や葉を絵付けし、再度焼成している。赤い牡丹と緑葉とのビビットな補色関係に、鮮やかな青花と穏やかな黄色が加わり、絶妙な色彩の調和が生まれている。その色彩感覚は、柘榴（ざくろ）や瓢箪、茘枝（れいし）など内側面の文様でも発揮されている。万暦五彩（ばんれきごさい）の豊穣な色彩世界を伝える逸品である。（T）

五彩 牡丹文 盤（「大明萬暦年製」銘）
（ごさい ぼたんもん ばん／「だいみんばんれきねんせい」めい）
明時代
万暦（1573～1620）

58

幻惑の五彩

万暦期に爛熟を迎えた五彩の技法によって、松樹の下で緑色瓶を手に持つ童子と椅子に座った高士とが対面する様子を描く。その見込みの図様は側壁や口縁までぐるぐると反復され、しかも図様には微妙な変化もあり、見る度に何だか現代音楽のミニマルミュージックが頭のなかで流れ始め、ぬかるみにはまり込んでいくような不思議な感覚にとらわれる。

万暦(ばんれき)後半期の五彩(ごさい)は、中国陶磁の中でも古くから日本人に愛されてきた種類の一つで、濃厚な色彩が異国情緒を漂わせる。釉薬が剝げやすいことが弱点であったが、茶人はそれすらも「虫喰(むしくい)」と称して鑑賞のポイントとした。だが、本作は、虫喰はおろか傷一つなく完璧であり、万暦前半期の作例に位置づけることができよう。安宅氏が、茶人とは異なり、完全な美を陶磁器の中に追い求めていたことを物語る作品だ。

（T）

五彩 松下高士図 面盆（「大明萬暦年製」銘）
（ごさい しょうかこうしず めんぼん／「だいみんばんれきねんせい」めい）
明時代
万暦（1573～1620）

59

60

安宅コレクションの隠れた優品

卣（ゆう）は中国古代の青銅祭器の一種で、酒を貯めて運ぶのに用いられた。本器は二体のミミズクを背中合わせにしたような形をしている。胴部に大きな翼を表し、そのまわりに龍と鳥を配する。ミミズクをモチーフとする例は、商時代後期に流行していて、本器と同じ造形のうつわがこの時期に散見する。魑魅魍魎が跋扈する夜に活動する猛禽類として、邪気を払う役目を果たしたのかもしれない。文様構成から長江流域で製作された器と考えられる。なお釣り手は後補の可能性がある。 （H）

青銅 饕餮文 鴟鴞卣（せいどう とうてつもん しきょうゆう）
商時代
前14～11世紀

鴛鴦貴子

口縁部に切り込みを入れ、大輪の花が咲く様を連想させる輪花形の盆。漆を何百回も塗り重ねて層をつくり、そこに文様を彫り込む彫漆（ちょうしつ）という技法で、蓮の花と葉をめいっぱいに表し、さらに「おしどり夫婦」という言葉のもとになった鴛鴦（えんおう）のつがいを配す。蓮（レン）の発音が「恋（レン）」を連想させ、意匠全体が夫婦和合や子孫繁栄の願いを表す。祝意に満ちた希望が、彫漆盆としては異例の巨大さで見る者に迫る。（T）

堆朱 蓮池鴛鴦文 輪花盆
（ついしゅ れんちえんおうもん りんかぼん）
明時代
15世紀

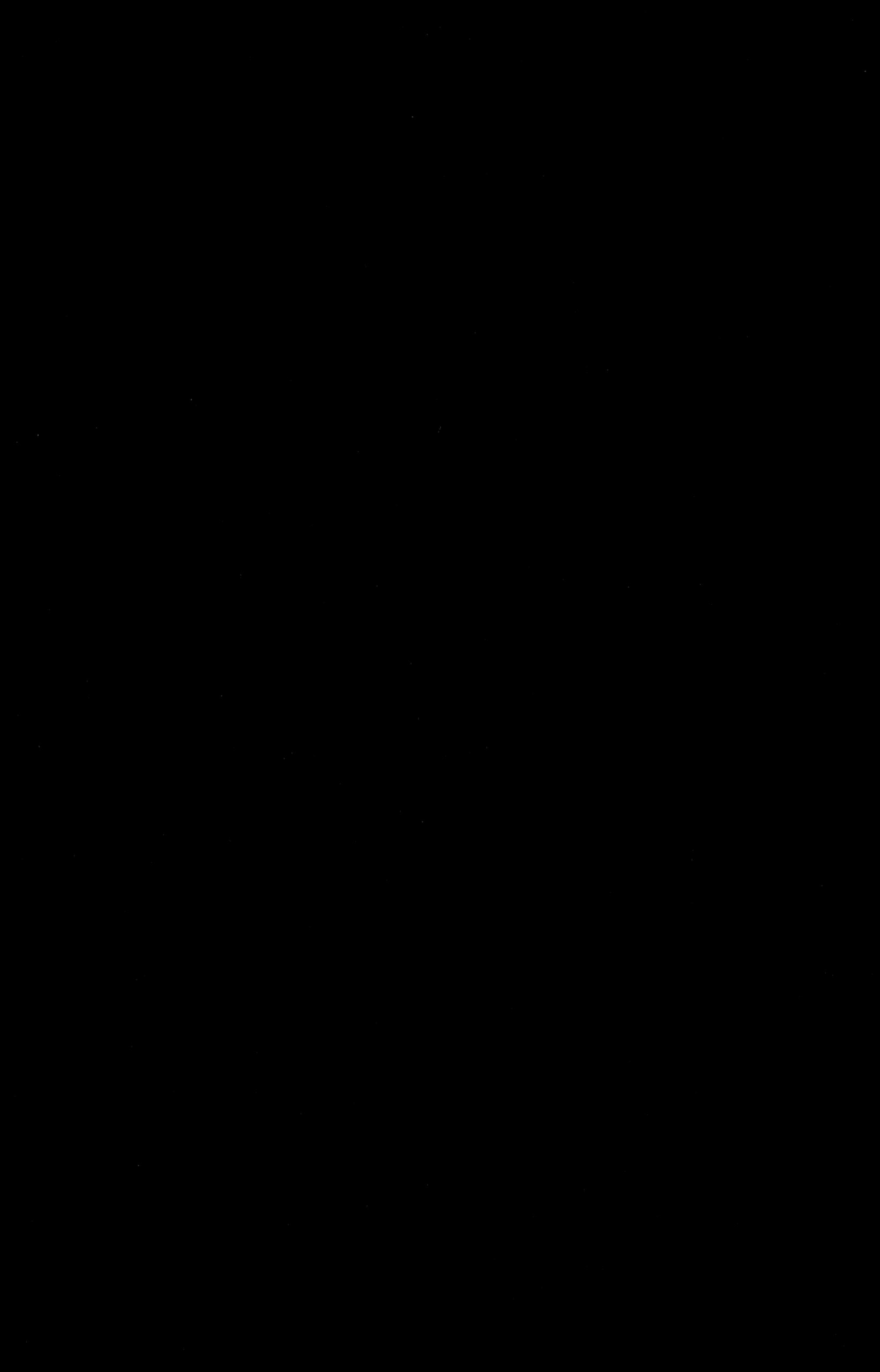

「何でも一流のものを見聞きしなさい」（安宅英一の言葉）

『美の猟犬』より

美術館それぞれの個性や使命は常設展示にこそ宿る、と思う。大阪市立東洋陶磁美術館の場合、常設のコレクション展示室で最初に出迎えてくれるのが安宅コレクションの韓国陶磁である。それはすなわち、東洋陶磁美術館の始まりが安宅コレクションにあり、さらにその芯に韓国陶磁があることを静かに宣言するようである。

まず展示室で出会うのは高麗青磁。広がるのは静粛な青の世界。青磁が放つ清浄な空気が、仏教儀礼の場でも用いられてきた歴史を物語る。「翡色」と呼ばれるその青に多くの者が魅了されてきたが、鑑賞が本格化したのは意外にも十九世紀末のこと。遺跡発掘の増加で出土品が数多く世に出たことが直接的要因だが、宗教の道具に美を見出そうとする近代的な美術鑑賞の考えが東洋で広まり始めた時期でもある。

次第に展示ケースには朝鮮時代の粉青が並び始める。青から白への転換が始まる。粉青は灰色の陶土に白土で化粧掛けを施し文様を表したもの。日本では「三島」と呼ばれ、茶の湯の世界で愛された。茶人は自らの美意識に引き寄せて異国のやきものを受容したが、安宅コレクションが示す粉青の地平はもっと自由で多彩だ。伝統的な枠組みに縛られず、ものに内在する美を見抜こうとした安宅氏の目が生きている。

最後は朝鮮時代の白磁。その簡素にして清潔な白は、朝鮮王朝の統治理念である儒教の理想にふさわしい。さらに魅力なのは器から感じる土のぬくもりで、その先につくり手、使い手の姿が重層的に立ち現れてくるようだ。かつて、柳宗悦はそこに「用の美」を見た。民藝の始まりである。ただ、安宅コレクションは、どこか民藝的な向き合い方から一線を画し、その規範を容易に越える。そこの相違こそが肝要と毎度思うが、今回も明晰な言葉にはできぬまま展示室をあとにすることになる。不変の美を紡ぎ出そうとした稀代の目利きに見送られるようにして。

（T）

抑制された曲線からあふれる気品

口径と底径がほぼ同じ大きさの平らな鉢を、日本では「銅鑼鉢（どらばち）」と呼ぶ。精巧な作行きで灰青緑色を帯びた本作は、翡色（ひしょく）青磁の最盛期の作例といえる。柔らかくかつ抑制された曲線や、青く澄んだ透明度の高い釉調には、北宋汝窯（じょよう）青磁にも匹敵する高麗青磁独自の気品が表れている。

「朝鮮陶器の神様」と称された浅川伯教（あさかわのりたか）（一八八四〜一九六四）が箱書に「高麗ドラ小鉢　青龍里　伯」と記す。青龍里（全羅南道康津郡大口面）の青磁窯址を調査した浅川は、翡色青磁はこの窯のものであり、形態に中国宋時代の青磁を思わせるものが多くあると述べた。品があること、それが安宅氏の美的判断の大きな基準であった。それを垣間見られる一品。

（J）

62

青磁 洗（せいじ せん）
高麗時代
12世紀前半

シンプルを極める

小さめの口に細長い頸、ふっくらとした胴に低い高台が付く、いわゆる「玉壺春瓶（ぎょっこしゅんへい）」と呼ばれるタイプ。何ら装飾を伴わないものの、完成度の高い釉色と流れるような曲線が美しい。青磁の最高峰とされる北宋の汝窯（じょよう）がその祖型であると考えられるが、深い釉色が与えるゆったりとした印象は、汝窯の青磁とは異なった魅力を見せる。本作が製作された同時代の文献『宣和奉使高麗図経』には「花壺」があり、上部がすぼまって下部が丸くなり、四季を通して水を貯え、花を挿していたという。本作も花器と思われる。（J）

青磁 瓶（せいじ へい）
高麗時代
12世紀前半

63

64

青の伝統

しっとりと潤いを見せる青緑色は、ヒスイのように淡く光を放つかのようだ。中国の越窯(えつよう)に技法の原点をもつという高麗青磁の歴史は十世紀まで遡るとされ、十二世紀にはついに、青と緑のあわいにただよう独自の色彩世界を切り開いた。本作の形は、洗濯物をのせた砧を打つための杵に見立てられるタイプだが、その祖型は青磁で著名な中国の汝窯(じょよう)に求められる。ただ、丸みを帯びた肩などなだらかな輪郭には高麗独特の優美さが漂う。（T）

青磁 砧形瓶（せいじ きぬたがたへい）
高麗時代
12世紀前半

65

仏に花を捧げ、祈る瓶

花や香を仏に供えることは、もともと古代インドで始まったとされるが、花を供養するこうした瓶を華瓶(けびょう)という。本作は、胴に縦溝を八本入れ、瓜の姿を写実的に写す。上の口は朝顔のように大きく開き、底部にはひだ状の高台が付く。高麗仏画の楊柳観音図(ようりゅうかんのん)では、観音の傍らで同形の花瓶に柳の枝が挿してある。そうした仏具の一つとして、「青林寺」銘の青磁瓶が現存し、本作も花瓶として使われたと考えられる。北宋の青白磁瓜形瓶などに関連性がうかがわれるが、ギュッと締まった胴とほっそりした優美な曲線、柔らかく品のある灰青緑色は、高麗青磁独自のものである。

（J）

青磁 瓜形瓶（せいじ うりがたへい）
高麗時代
12世紀前半

救いの水

緑がかった穏やかな水色の発色が見事だ。ふっくらした胴に細長い頸がつき、その上に尖台が伸びる。肩には注口が付いた、いわゆる仙盞（せんざん）形という形式。浄水を貯める器で、肩の口から水を注ぎ、尖台から水を出す。もとは仏前に清水を供えるための仏具で、高麗仏画にも楊柳観音（ようりゅうかんのん）の持物として登場する。観音は、衆生を救済するため、浄瓶に蓄えた水を柳の枝を用いて人々に振り掛けるとされる。胴部分に草や水鳥とともに線刻で表された柳の木がその伝承を思い起こさせるようだ。（T）

青磁陰刻 柳蘆水禽文 浄瓶
（せいじいんこく りゅうろすいきんもん じょうへい）
高麗時代
12世紀

66

高麗の「見返り美人」

八角に面取りされた胴部に、「鶴首（つるくび）」と呼ばれる細長い首の付いた瓶である。こうした造形は、中国・唐時代の越窯（えつよう）青磁などにその原型があるとされるが、胴がほっそりとして肩の線もなだらかで、高麗独自の変容をとげた優雅な姿を見せる。高麗独自の「翡色（ひしょく）」青磁としての釉色も美しく、最盛期の作例である。仏教儀礼のなかで浄水を入れたものと考えられる。

安宅氏はこの瓶を手に入れたとき、非常に喜び、「これは中国と高麗の懸け橋のような作品です」と語った。また小説家の立原正秋（たちはらまさあき）は「首のねじれ方が道を歩いている三十女がふとたちどまり、ちょっと後ろをふりむいた、といった風姿である」とたとえた。（J）

青磁陽刻 牡丹蓮花文 鶴首瓶
（せいじようこく ぼたんれんかもん かくしゅへい）
高麗時代
12世紀

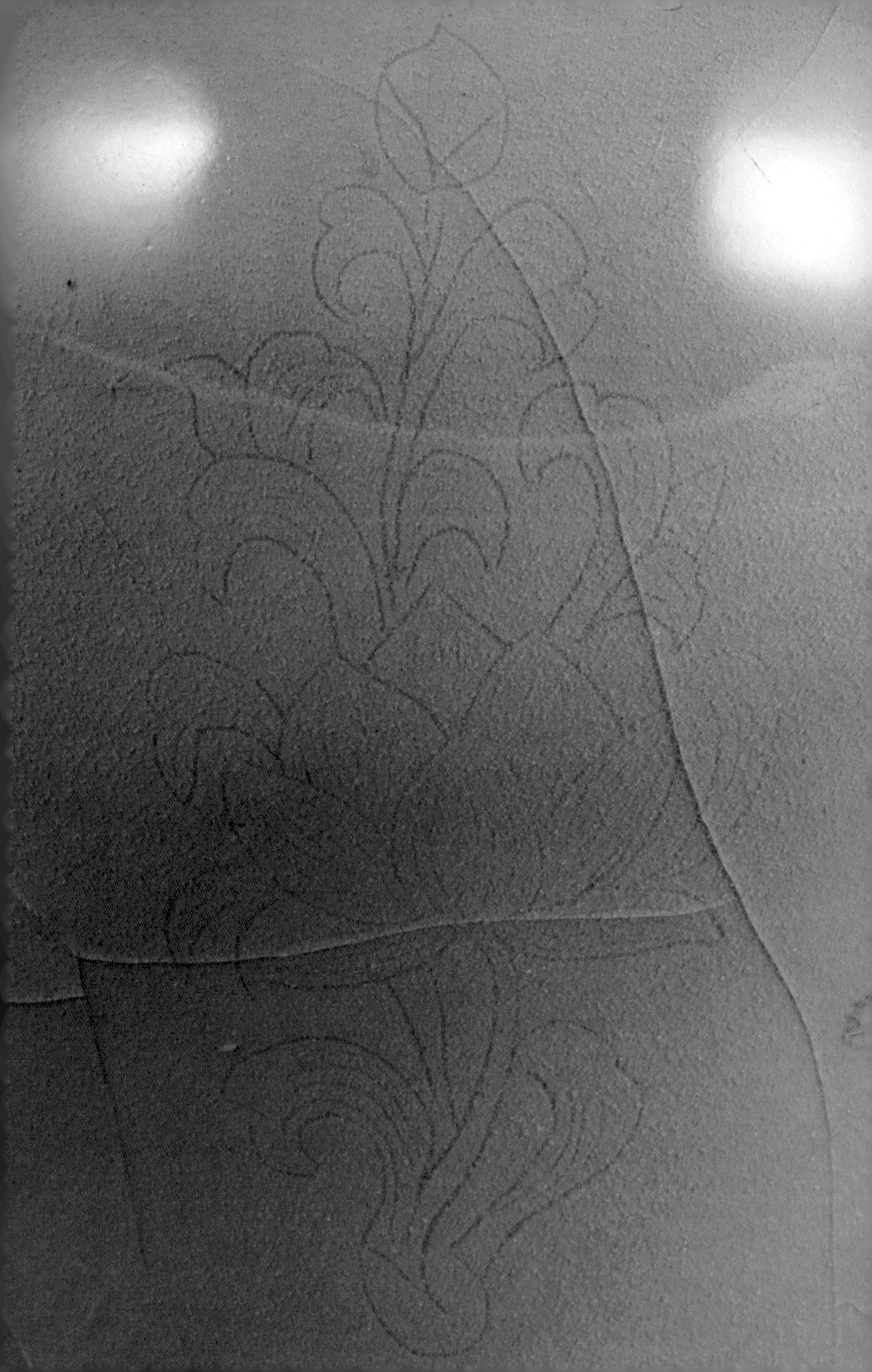

秘すれば花

本作は金属器に器形の範があるとされるが、全体の姿は陶磁器らしい優美さをまとう。高麗青磁全盛期の作と確信させる淡く清雅な釉の発色に見惚れていると、釉の向こう側に蓮花が表されていることにふと気付く。その線刻は浅く細く繊細。釉薬の層を分け入るように見つめた者だけが味わえる余情がある。（T）

○
青磁陰刻 蓮花文 三耳壺
（せいじいんこく れんかもん さんじこ）
高麗時代
12世紀

68

69

伏線

すぼまった口、勢いよく張り出した肩、ゆったり収束するようにひきしまっていく胴、そして裾のわずかな広がりが形に安定感をもたらす。この柔らかな曲線のフォルムは、高麗青磁のもつ魅力の一つであろう。さらに、片切彫り（かたきりぼり）と線彫りによる線刻の凹線には釉薬が溜まり、黄蜀葵文（おうしょっき）が浮かび上がる。

本作は安宅氏が初期に蒐集した高麗青磁の一つで、その後のコレクションの成長を予感させるものだ。

（T）

青磁陽刻 蓮黄蜀葵文 梅瓶
（せいじようこく はすおうしょっきもん めいぴん）
高麗時代
12世紀

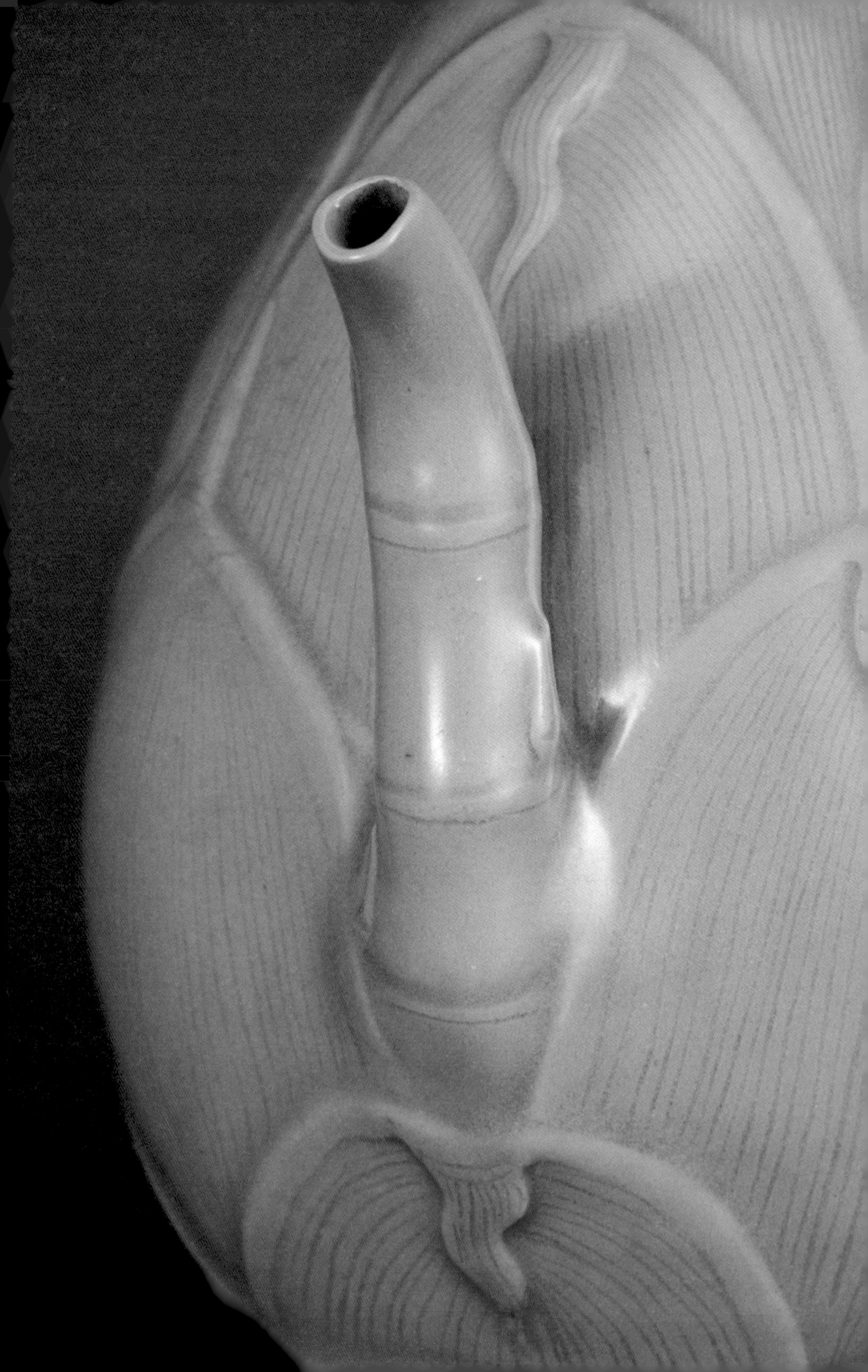

筍から注がれる美酒は?

高麗青磁には植物や動物をかたどった水注が数多く伝わる。金属器をモデルとした中国・宋時代の水注とはひと味異なるその生命感あふれる愛らしさは、高麗青磁の魅力ともなっている。本作は筍をかたどったユニークな造形。筍はその成長の速さから子孫繁栄を象徴する。「翡色(ひしょく)」というべき透明な灰青緑色の釉が、形や文様の美しさを際立たせ、類品中でももっとも華麗な作例である。注がれる酒からは青竹の清々しい香りが立ち上ってきそうである。(J)

青磁陽刻 筍形水注
(せいじようこく たけのこがたすいちゅう)
高麗時代
12世紀

70

71

あこがれは、中国青銅器

東洋の美術、とりわけ工芸に対する中国青銅器の影響力は絶大だ。方鼎（ほうてい）を模した本作は、夔龍文（きりゅうもん）や雷文など青銅器由来の文様が表されている。その文様は、型押しによって緻密に表現され、中国青銅器の空白なき緊張感までも模倣しようとしている。（T）

○
青磁印花 夔龍文 方形香炉
（せいじいんか きりゅうもん ほうけいこうろ）
高麗時代
12世紀

気焔をあげる

高麗青磁の香炉には蓋に動物をあしらったものが見受けられる。本作には可愛らしい鴛鴦（えんおう）が表されている。香を中で焚いたとき、開いた口からは香煙がたちのぼる。線刻で表した羽は、彫る深さを変えてその重なりを丁寧に表現する。彫り込んだ部分には釉薬が溜まるので、深い発色を示し、陰影表現となる。釉薬の発色にも優れる本作は、高麗青磁全盛期の勢いを今に伝えている。（T）

青磁彫刻 鴛鴦蓋香炉
（せいじちょうこく えんおうぶたこうろ）
高麗時代
12世紀

73

机辺に仕える愛らしい童女

蓮の蕾の形をした頭の飾りを取りはずして水を入れ、童女の抱える水瓶が注ぎ口となっている。高麗時代の文人・李奎報(イギュボ)が「青い衣の小さな童子、玉の肌に、膝を曲げた姿は恭しく、顔立ちはくっきりと、終日倦むことなく、瓶を揚げて水のしずくを供する……」(『東国李相国集』巻十三)と詠じ、同形の青磁の水滴が当時の文人に愛玩されていたことをうかがわせる。小振りながら釉色が美しく、静かな優しさを湛えた唯一無二の作品である。

昭和三十年(一九五五)に高額で購入。安宅氏は心に叶うものには価格の如何は問えなくなったという。(J)

○青磁彫刻 童女形水滴(せいじちょうこく どうじょがたすいてき)
高麗時代
12世紀

翡翠の枕で見る夢

背中合わせにうずくまる獅子が、楕円形の蓮の葉を頭に載せる形の枕。一対の獅子はいずれも口を開けて牙を見せ、胸には鈴が付く。所々に溜まる灰青緑色の釉色は、翡色(ひしょく)青磁の最盛期の作例を示して極めて美しい。陶枕は暑い夏に適した実用的な枕であるとともに、魔除けなどの効用もあった。高麗の文人・李奎報(イギュボ)がその詩「緑甆枕」で、「彫刻を施した青磁の枕は水の色よりも澄み、手に取ってさすれば玉の肌触り」と詠んだ。翡翠の枕で見る夢はどんなもの?

(J)

青磁 獅子形枕(せいじ ししがたまくら)
高麗時代
12世紀

74

高麗文人あこがれの幽玄の世界

小さな口に肩が張り、胴に向かってすぼまる器形を梅瓶といい、主に酒を貯蔵する容器。高麗時代の沈没船から発見された梅瓶の荷札には「樽」と記されており、高麗文献に見える「酒樽」も同じ種類と考えられる。肩には、茘枝文を組み込んだ袱紗（ふくさ）文が四方に広がり、絹などで梅瓶の口を覆った名残りが文様化したものと思われる。胴中央の四面には、高く伸びた竹の根元に鶴が遊ぶ姿が施され、叙情的で絵画的な文様構成が見事。鶴は六種類の姿態を取り、高麗の文人・李奎報（イギュボ）の詩に「竹外鶴閑図上六」（絵の中の六鶴が竹林の外で遊ぶ）とあるのと同じく、竹鶴の絵を好んだ文人趣味をここにもうかがうことができる。深い灰青緑色の釉色に文様が端正な作行きを示す、高麗青磁の逸品である。（J）

青磁象嵌 竹鶴文 梅瓶
（せいじぞうがん たけつるもん めいぴん）
高麗時代
12世紀後半～13世紀前半

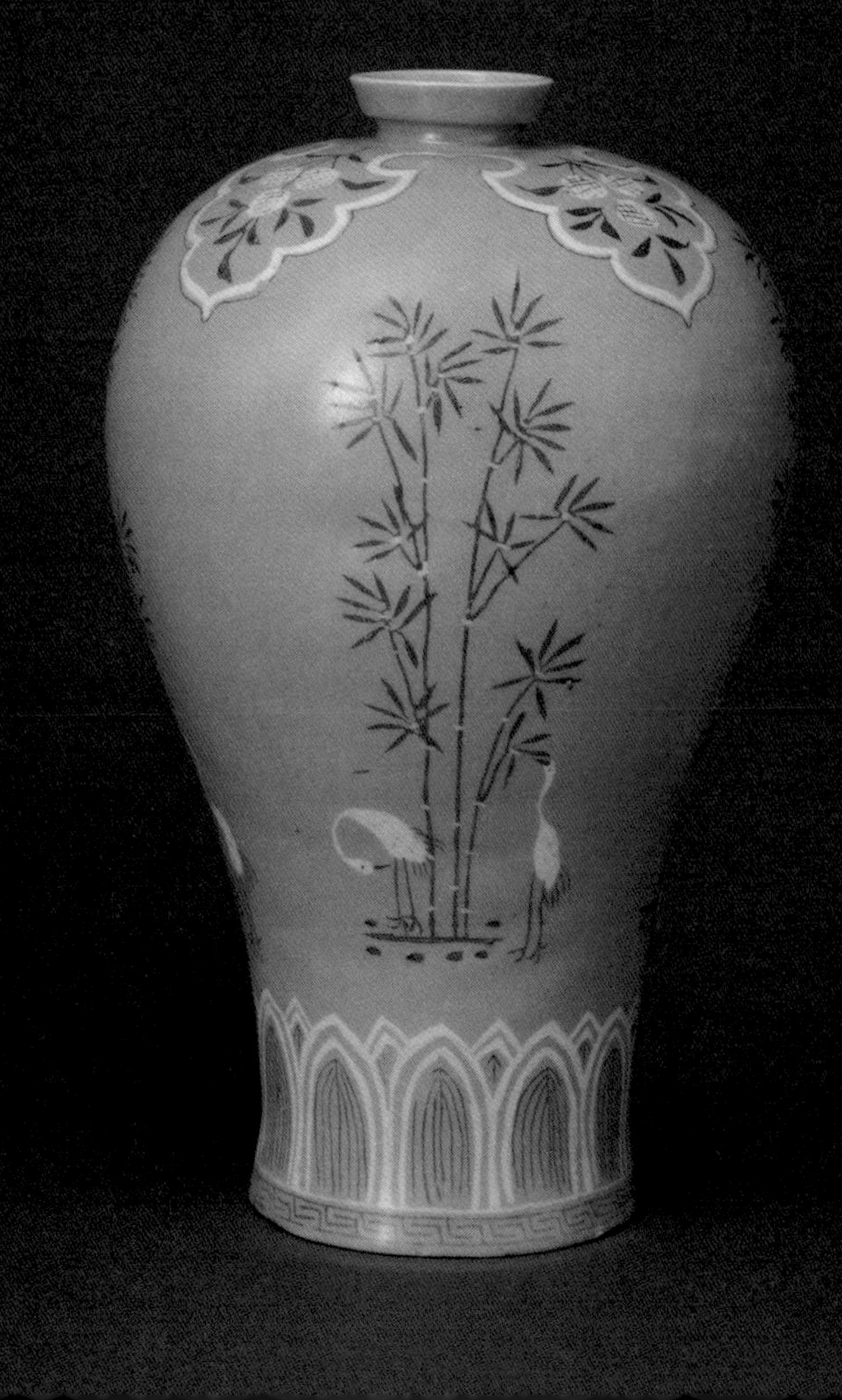

75

瑞祥のモノクローム

化粧道具を納めるための箱だという。穏やかな色合いの青磁に、白と黒で緻密な文様が展開する。蓋表には、稜花形(りょうかけい)の区切りを設け、その円相内に鳳凰を一対で表す。四隅には四羽の鶴が羽ばたき、隙間を埋めるように霊芝雲(れいしうん)が配される。うつわを充たさんとする瑞祥の文様は、白土や赫土(あかつち)を器に埋め込み、釉薬を掛けて焼成する象嵌技法によって生み出された。（T）

○
青磁象嵌 鳳凰文 方盒（せいじぞうがん ほうおうもん ほうごう）
高麗時代
13世紀

76

凍れる花

冴えた青色の中に閉じ込められた赤い牡丹に目が奪われる。辰砂彩による鮮やかな赤は、酸化銅の顔料を器表面に置き、釉薬を掛け還元焼成することで生み出された。さらに、辰砂彩の下に施された白土の象嵌が赤色をより引き立てている。釉層の下に潜る牡丹の花は、まるで青磁の中で凍りつき、永遠の美を手に入れたかのようだ。（T）

青磁象嵌辰砂彩 牡丹文 鶴首瓶
（せいじぞうがんしんしゃさい ぼたんもん かくしゅへい）
高麗時代
13世紀

78

早すぎたアール・ヌーヴォー

高麗陶磁のなかには植物の姿に意匠の着想を得たものがしばしば見られる。本作の胴部分には、白土を塗った上に陰刻線で草花文が曲線を強調して描かれている。さらに、蓋のつまみはぐるんと丸まった蔓(つる)のようで、同様の装飾が取っ手にも施されている。また、取っ手自体も蔓のような優美な曲線を見せる。注口のカーブもイメージの源泉は蔓ではないだろうか。となると、丸々と膨らんだ胴本体が弾けんばかりの果実に見えてくる。（T）

○
青磁白堆 草花文 水注（せいじはくつい そうかもん すいちゅう）
高麗時代
12世紀

79

空に浮かぶ

高麗青磁に特有の静謐な青に、白雲が浮かぶ。雲は、青磁釉の下に白泥で文様を描く白堆（はくつい）と呼ばれる技法で表されている。空白をたっぷりとった雲の配置のためか、あるいは白泥を絞り出した線の震えのためか、やがて雲は移ろい、時が流れていく気配がただよう。（T）

青磁白堆 雲文 梅瓶（せいじはくつい うんもん めいぴん）
高麗時代
13世紀

ぐるぐると追いかけていきたい宝相華文

黒褐色に発色する鉄絵具で文様を描く青磁を「鉄絵青磁」と呼ぶ。胴面に描かれた宝相華(ほうそうげ)は、花と蕾を交互に付け、端正な胴体に合わせて流麗な曲線で文様が施されている。現代のグラフィクデザインにも見劣りのしない、周囲を一周する流れるような文様展開が見事である。（J）

青磁鉄絵 宝相華唐草文 梅瓶
（せいじてつえ ほうそうげからくさもん めいぴん）
高麗時代
12世紀

81

伸びやかな草花文の美しさ

一見、黒く見えるが青磁の一種。日本では「黒高麗(くろごうらい)」と呼ばれる。鉄絵具を地色として素地に塗りつめ、その上から青磁釉を掛けたもの。胴部には、自由な筆致の葉と四弁の花をもつ草花を大きく彫り、白泥を塗る。白象嵌(しろぞうがん)の伸びやかな草花文が鉄地の黒を背景に一層映える。（M）

青磁鉄地象嵌 草花文 梅瓶
（せいじてつじぞうがん そうかもん めいぴん）
高麗時代
12世紀

82

青磁なのにこの渋さ

本作は、器面に文様を太く線彫りし、象嵌技法で白土を埋め込んで素焼きにした後、余白に鉄絵具を塗りつめ、さらにその上に青磁釉を掛け焼成したものと思われる。口の下と胴裾の蓮弁文、そして肩の如意頭文(にょいとうもん)が、縦に太く彫られた線と相まって力強い印象を与えている。高麗陶磁のなかでは遺例が少なく、儀礼的空間と推定される龍蔵城建物址から青銅器遺物と共に出土した《青磁鉄地香炉》が知られる。高麗青磁の全盛期に青磁とは一風変わった赤褐色を帯びる器皿が製作された背景には、南宋における陶磁製祭器が、青磁ではなく、素焼き製品による陶製祭器(当初、漆や彩色や金箔などで飾られていた可能性が高い)が中心だったことに関係があると考えられる。(J)

青磁鉄地象嵌 如意頭文 瓶
(せいじてつじぞうがん にょいとうもん へい)
高麗時代
13世紀

マーブル模様の神秘

三種類の土をこねあわせて成形し、青磁釉を掛けて焼き上げた碗。高麗では「練里（よんり）」、中国では、唐時代に誕生し「絞胎（こうたい）」と称される。日本では「練り上げ」「練り込み」といわれる技法。変形させることで、大理石や木目や花や雲に似た独特な文様となって表出する。高台の小ささも見どころの一つ。

（M）

青磁練上 碗（せいじねりあげ わん）
高麗時代
12世紀

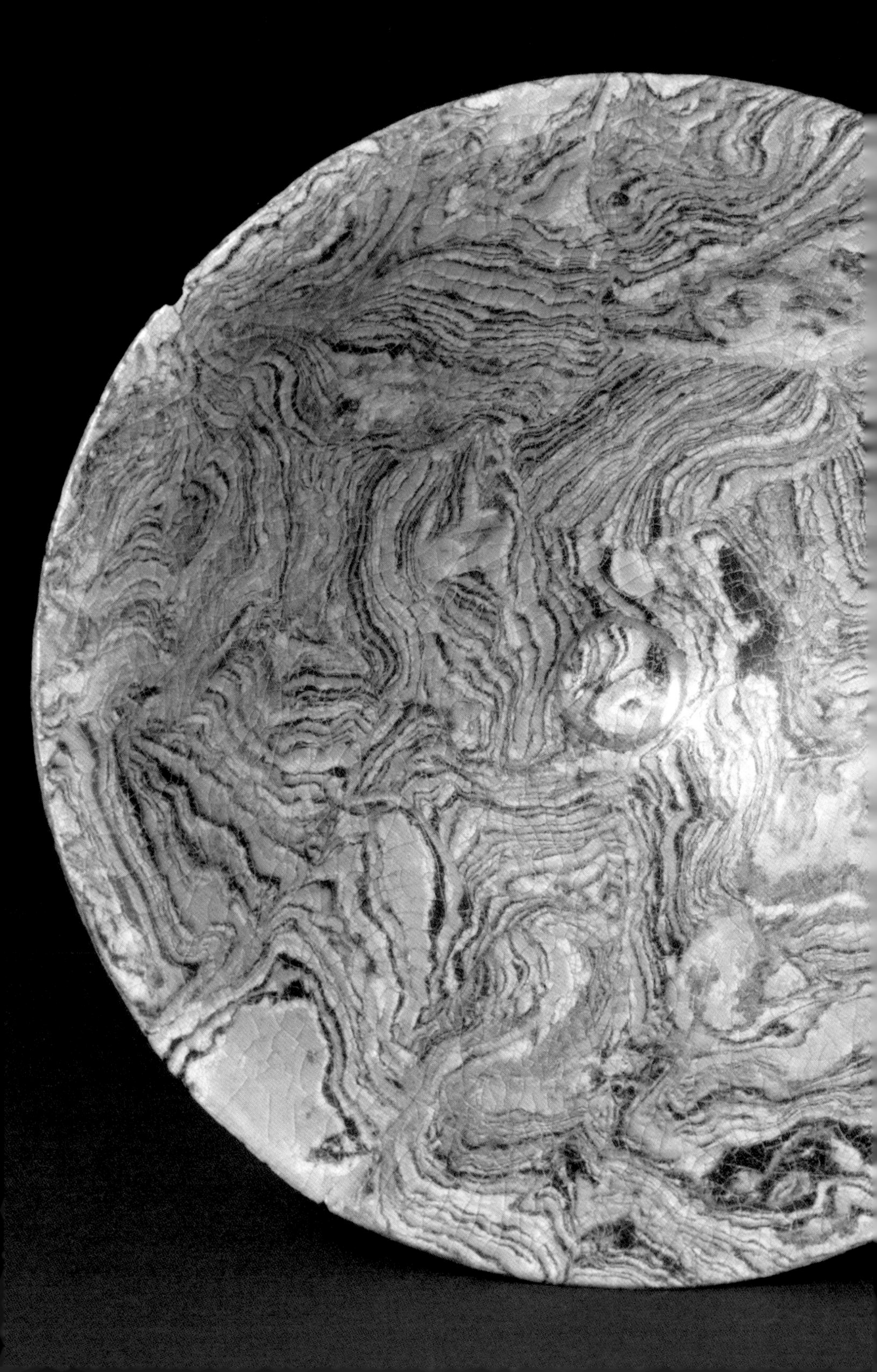

84

陰に隠れた白の麗しさ

高麗の陶磁器というと青磁ばかりが連想されるが、白磁も遺されており、その気品は青磁に勝るとも劣らない。高麗の白磁と青磁は同じ窯で焼かれたため、器形や文様に共通点が多い。本作も、青磁の水注でしばしば見かける瓜形で、丸々として愛らしい。胴に稜線を深く刻むことで、その膨らみを弾けんばかりに強調する。本作には承盤（しょうばん）が備わるが、ここに湯を張って水注内の酒や茶の保温に用いたようだ。（T）

白磁 瓜形水注・承盤（はくじ うりがたすいちゅう・しょうばん）
高麗時代
12世紀

85

草花のデフォルメ

粉青は灰色地に白土化粧を施したもので、本作はとりわけ二色の対比が効いている。目をひくのは自由でのびやかな草花文。花は小さく、茎は細く、葉は大きく。まるで魚眼レンズで覗き込んだような文様の大胆なデフォルメ具合が、玉壺春形（ぎょっこしゅん）の瓶の曲面と絶妙な調和を示している。（T）

粉青面象嵌 草花文 瓶（ふんせいめんぞうがん そうかもん へい）
朝鮮時代
15世紀

86

人間国宝・濱田庄司を魅入らせた長壺

口が真っすぐに立ち、肩から胴裾まで長く直線的にすぼまっていく形は粉青に多いが、これほどの大作は稀。胴全体に刷毛で白土を塗り、その上から線刻で椰子のような柳文と蓮弁文を大胆に力強く刻み込んでいる。野趣と遊び心にあふれ、朝鮮王朝陶磁のさらなる魅力を見せている。

昭和四十四年（一九六九）、この壺を初めて目にした人間国宝の濱田庄司（一八九四～一九七八）は、長時間身じろぎもせず凝視していたという。（J）

粉青線刻 柳文 長壺（ふんせいせんこく やなぎもん ちょうこ）
朝鮮時代
15世紀後半～16世紀

魚の祭器で出世を願う

儒教の儀礼に用いる「洗（せん）」と呼ばれる祭器。白化粧をした鉢の内外に、悠然と泳ぐ高麗鱖魚（けつぎょ）と思われる川魚が二尾、水草を添えて鉄絵具で描かれている。鱖は、宮「鱖」（宮殿）に入って出世することを意味し、人生の願いが込められている。白く塗った素地に鉄の顔料で描く粉青鉄絵は、窯址が忠清南道鶏龍山の山麓にあることにちなんで、日本では鶏龍山（けいりゅうざん）と呼ばれて愛好された。のびやかな筆致による絵付けも優れ、優品の一つに数えられる。（J）

粉青鉄絵 魚文 深鉢
（ふんせいてつえ ぎょもん ふかばち）
朝鮮時代
15世紀後半～16世紀前半

87

88

数寄者垂涎の粉引徳利

口の部分のわずかなくびれは注ぎやすくするための工夫であり、また胴の両面をやや押さえ、持ちやすくしている。全面に白化粧が施された粉引技法だが、長年の使用による所々のしみは日本では「雨漏(あまもり)」とも呼ばれ、茶人の間でとくに珍重された。白泥の途切れや金と漆による補修跡が景色となって風情がある。それが日本人の侘び心を誘ったのか、この瓶はお預け徳利(懐石で亭主が客に預ける大きめの徳利)として使われたという。加賀・前田家伝来と伝えられ、伝世の粉青粉引瓶の最高傑作の一つ。

安宅氏は長年本作を追い求めた。胃腸薬で知られる「わかもと製薬」の創設者で巨万の富を築いた長尾欽弥(ながおきんや)旧蔵品。涎が出るほどの器に注がれる酒はさぞかし美味だろう。

(J)

粉青粉引瓶(ふんせいこひきへい)
朝鮮時代
16世紀

天にささげる粉青の極み

儒教の祭祀に用いられた祭器（さいき）「簠（ほ）」。底部となっている部分の鋸歯（きょし）飾りや四方の突起は、青銅器の名残を示す。刷毛目技法によって全面が白泥に覆われ、重厚感を湛えている。十五世紀半ばから地方にも儒教の祭祀が広まり、それに合わせて地方の窯で祭器がさかんにつくられたが、本品もそうした例の一つである。堂々として無駄のない造形は、煩縟（はんじょく）な意匠の青銅器を超え、威厳のあるものとなっている。（J）

粉青粉引 簠（ふんせいこひきほ）
朝鮮時代
15世紀

げんこつ

安宅氏は「げんこつ」と呼んでいたらしい。小さくすぼまった口に大きく膨らんだ胴。しかもその膨らみは非対称でややいびつ。たっぷり二度掛けされた黒釉は重厚な存在感を放つ。確かに「げんこつ」だ。対称性は、轆轤（ろくろ）を用いるすべての陶磁器にとって、当たり前のように要求されてきた美の基本条件のはずである。そうした評価基準を易々と超えんとする破格の美を、本作に見出し、しかもたった一言でその本質を言い表す安宅氏の目利きには、もうお手上げである。（T）

黒釉 扁壺（こくゆう へんこ）
朝鮮時代
15〜16世紀

90

聖なるホーン

この不思議な形、ユーラシアの遊牧民たちの酒杯にルーツをもつ。モデルは獣の角。古代祭祀では生贄としても捧げられた獣であるが、その角を模した杯にはどのような呪術が込められているというのだろう。金属器の角杯もあるが、磁器製の本作はしっとりと潤いある白さにどこかあたたかみを感じる。それはまるで、本来は無機質な白磁に、獣の生命が宿ったかのようだ。

（T）

白磁 角杯（はくじ つのはい）
朝鮮時代
15世紀

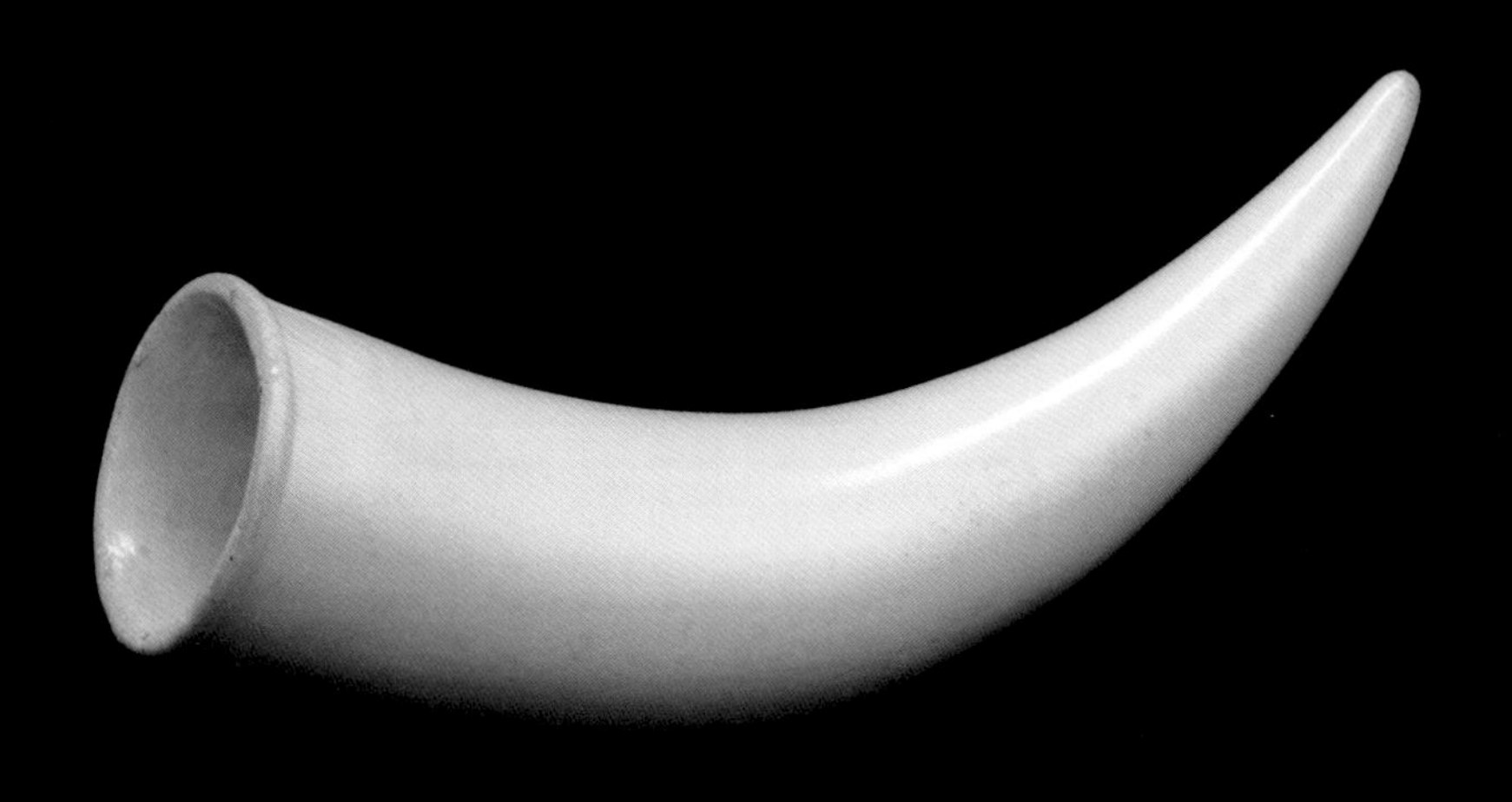

潔白

文様を一切表さないやきものには、形と釉の色だけで勝負する潔さがある。本作は扁壺と呼ばれる胴面が扁平な壺で、中には酒や水を入れた。二枚の皿を合わせ、そこに口と高台を付けてつくられたとされる本作は、側面の折り返し部分の角が立ってシャープで、緊張感あるたたずまいだ。さらに釉薬のあまりの純白さには息をのむ。しかし胴の下部にわずかなふくらみ。少しいびつだ。どうしてだ？　ほころびを見つけた安心感なのか、ほっと息をつく。（T）

白磁 扁壺（はくじ へんこ）
朝鮮時代
16世紀

92

93

「百万中に一つ」の魅力

大きく張り出した胴部のつくりは、力強くも優美な曲線を描く。口縁は、丸く厚みをもたせた部分が優美な雰囲気を漂わせる。青みを帯びた色合いが深みを増している。高台に釉薬を掛けず、釉がけされた胴部とのコントラストも見どころ。他にあまり例を見ない珍しい作品。

昭和六年（一九三一）、日本で「李朝ブーム」を起こした稀代の目利き、青山二郎（一九〇一～七九）が「白袴（しろばかま）」と名付けた逸品。（M）

白磁 壺（はくじ つぼ）
朝鮮時代
16世紀

主役は私？

本作は植木鉢などを載せる盆台である。実際に陶製の植木鉢も宮殿址から出土している。透彫による主文様の蓮花文は、一見簡略化された図案にも見えるが、植物のほとばしる生命力を見事にとらえて余すところがない。十五世紀中葉の文臣・姜希顔（カンヒアン）（一四一七～六四）がその著作『養花小録』で記録した様々な花や木の特徴や栽培法も、鉢植えの植物を対象にしたものとされる。龍文や牡丹文を施した類似品が残っており、王室や高級官吏向けにつくられた盆台である。

安宅氏が入手のために時間をかけて秘策をこらした逸品。植木鉢の花や樹にも引けを取らない存在感を見せる。（J）

白磁透彫 蓮花文 盆台
（はくじすかしぼり れんかもん ぼんだい）
朝鮮時代
16世紀

94

95

君たちは、どう生きるか

儒教が強い影響力をもった朝鮮時代は、文人の時代でもある。清雅を求めた彼らの美意識は陶磁器の作風にも影響を与えた。本作は角瓶で、肩を斜めに面取りして瀟洒なたたずまいをみせる。側面には、「いっちん」で四君子が表されているが、いっちんは、陶土を細い口から絞り出して文様を盛り上げる手法で、本作の表現は特に伸びやかで気持ちがよい。四君子とは、理想的人物（君子）を象徴する植物のことで、離俗清逸を重んじる文人に特別視された。通常は蘭・竹・梅・菊だが、本作では君子の高潔さを意味する蘭が、百花の王で富貴の象徴たる牡丹に替わっているが……どう受け取るべきだろうか。（T）

白磁陽刻 四君子文 角瓶（はくじようこく しくんしもん かくびん）
朝鮮時代
18世紀後半

96

貴人に酒を供する気品あふれる托

朝鮮初期青花の貴重な作例の一つ。平らでなめらかな内面の中央に宝相華文を一輪置き、そこから五方へ広がる構図である。同種の盤に松文や竹文、詩文、蓮池魚文を施した陶片が京畿道広州市の官窯窯址で出土している。本作のような盤は、金製の盞とともに世宗（在位一四一八〜五〇）の『実録』「五礼儀」に描かれていることから、儀礼用の酒器の托であることがわかる。世祖元年（一四五五）には、酒盞に青花を用いるよう世祖が命ずる記録があり、朝鮮に青花が導入されることになるもっとも大きな要因は、このように、儀礼上で必要だったためと思われる。

昭和三十六年（一九六一）の購入当時は朝鮮初期青花の評価が高くなかったと伝えられるが、現存する初期青花盤として唯一無二の貴重な作例である。（J）

青花 宝相華唐草文 盤（せいか ほうそうげからくさもん ばん）
朝鮮時代
15世紀後半

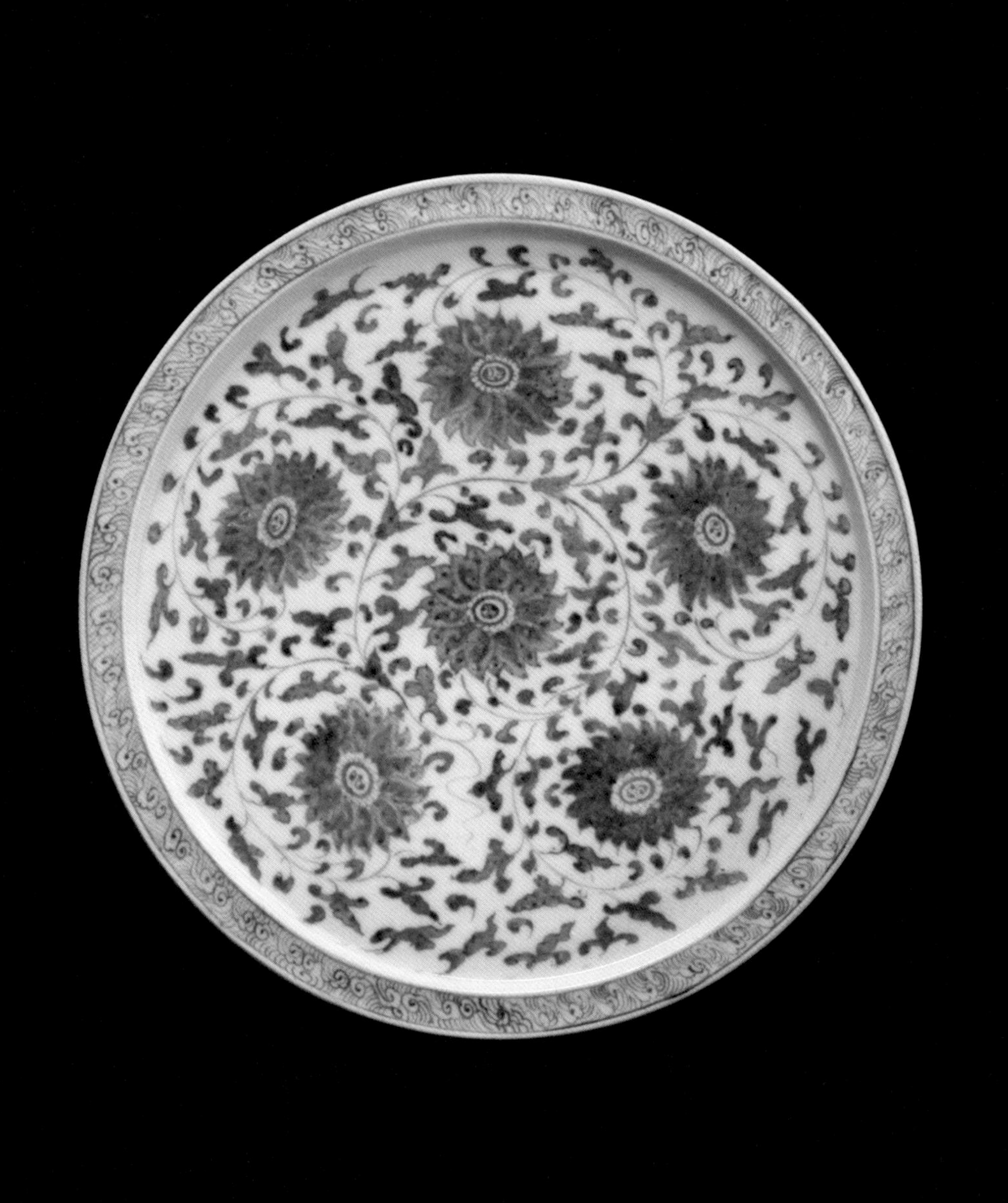

97

心の琴線にふれる清楚な「秋草手」

細身の形、手ごろな重さ、青花面取八角瓶でこの大きさのものはごくまれ。玉縁（たまぶち）風の口のすぐ下からへらを入れ、厚く成形された丸瓶を八面に削っていく。儒教精神の勤倹と節約を強調し、奢侈を排斥しようとする支配者層の思想は、当時の青花の抑制された美しさをつくり出す背景となった。

日本で一般に「秋草手（あきくさで）」と呼ばれる楚々とした野の花は、余情と風韻を愛でる当時の文人たちの美感を反映する。この瓶はとりわけ名声が高く、安宅氏は秋草手の徳利の頂点として本作を目標におき、寝室に入る空間の正面にその写真を数年間かかげていた。そして入手方法を静かに練り、ついに入手に成功した。（J）

青花 草花文 面取瓶（せいか そうかもん めんとりへい）
朝鮮時代
18世紀前半

執念がたぐりよせた「秋草手」の名品

丸い壺をつくり、胴と高台を八角に削り落としたもので、腰のふくらみや堂々とした高台の力強さが、見る者を魅了する。白磁の肌は乳白色でうるおいがあり、四面に描かれた文様も清楚で美しく、「秋草手」屈指の名作として知られている。

実は、類品がもう一点知られている。それは柳宗悦（一八八九〜一九六一）の民藝運動に大きな影響を与えた浅川巧（一八九一〜一九三一）の所蔵品で、戦前から有名であった。浅川巧が若くして亡くなった後、日本民藝館に寄託されていたが、兄・浅川伯教のもとに戻る。さらに一九四一年、朝鮮の古美術商・文明商会が「朝鮮工芸展覧会」に出品したものを一万六千円の高額で繭山龍泉堂が購入し、朝鮮陶磁コレクターとして有名な井上垣一が譲り受けた後、終戦直後に安宅氏が個人的に購入した。

それとは別の本作は「巧の壺」がもう一点あると確信した壺中居店主・廣田熙の執念によりもたらされた貴重な壺である。当時信じられないほどの高額で岩﨑家の所蔵となっていたものを、長期にわたる交渉のすえに安宅氏が獲得した。（J）

青花 窓絵草花文 面取壺（せいか まどえそうかもん めんとりつぼ）
朝鮮時代
18世紀前半

98

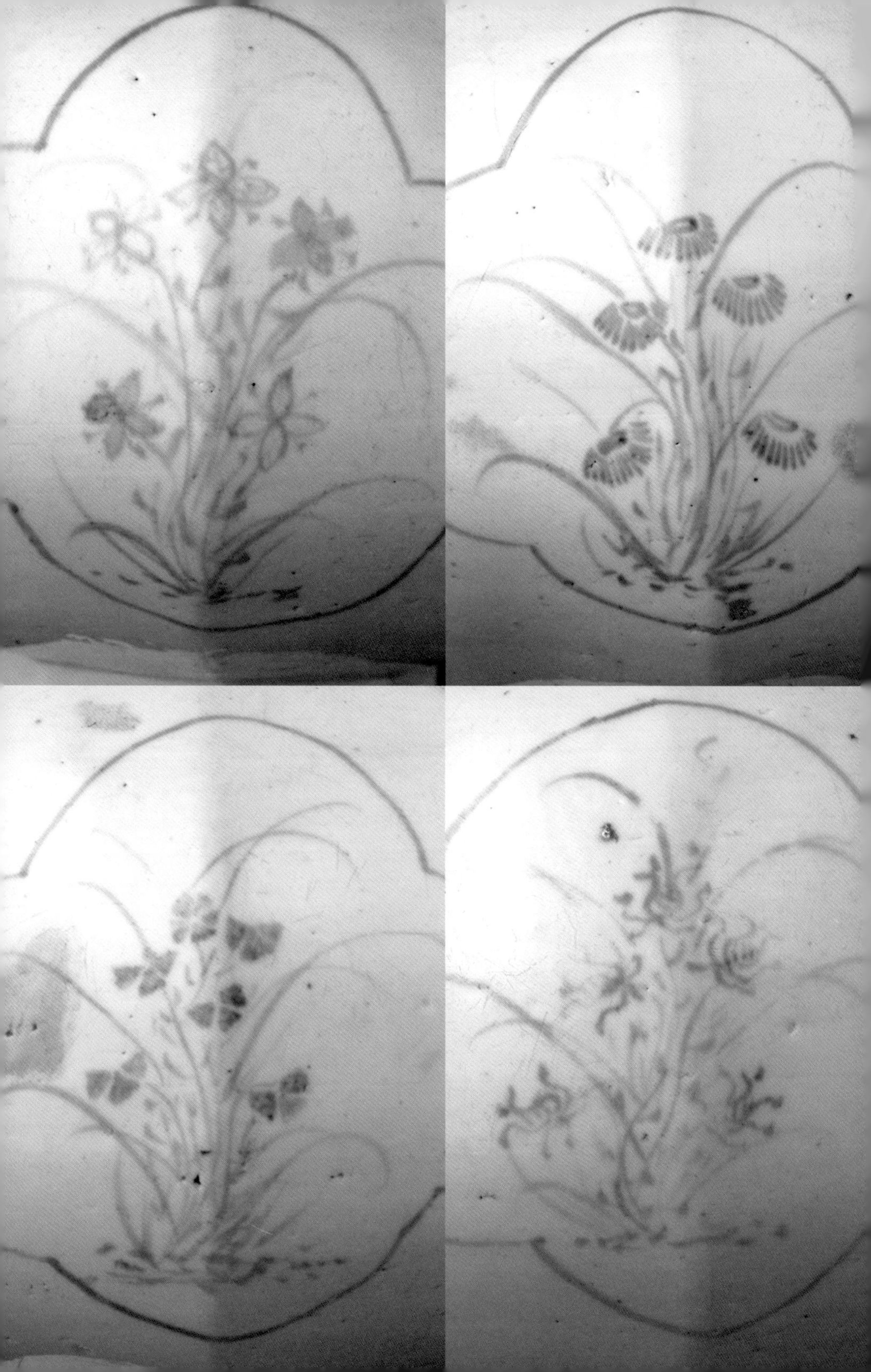

吾輩は虎である

生まれは十八世紀の朝鮮半島。優れた絵付け師の手により誕生した。遠くに見える山並みの上に満月がかかる夜、断崖の上を堂々と闊歩するのは猫ではない。虎である。独特の笑みをたたえた愛嬌のある顔、ツートンカラーの毛並みの長い胴と尻尾がご自慢だ。虎は実際に朝鮮半島に生息し、霊獣として信仰され、崇められていた。一見ユーモラスな表情と姿態は猫のようにも見えるが、紛れもない朝鮮の虎である。（J）

青花 虎鵲文 壺
（せいか とらかささぎもん つぼ）
朝鮮時代
18世紀後半

99

ぱっちりお目々の霊獣

前肢をふんばり、首をもたげて目をかっと見開いた虎の姿は、長いまつげとむき出した牙のために民画風になっている。しかし、山の神霊として崇拝された虎の周囲に沸き立つ霊芝雲や、裏面で一輪の蓮花を中心に背を向け合う二羽の鷺のたたずまいに、不思議な霊的空気すらただよう。鷺も蓮と同じように泥中にあっても泥に染まらず、儒教的な高潔な人格のシンボルとされていた。こうした思想は朝鮮半島にも伝わり、本作と同時代の文人画にも同様の意匠が見られる。

朝鮮陶磁屈指の名品として、古くから評価の高い壺である。朝鮮陶磁コレクターとして有名な赤星五郎旧蔵品。大正十一年（一九二二）十月に漢陽（現・ソウル）で開かれた「李朝陶磁器展覧会」では、現在でも名品とされる数々の作品とともに、前列にこの壺が飾られていた。（J）

鉄砂 虎鷺文 壺（てっしゃ とらさぎもん つぼ）
朝鮮時代
17世紀後半

100

文人心地

白磁に銅顔料で文様を描き、透明釉を掛けて再焼成して赤を出す辰砂の技法。本作も美しい赤色で松と鶴を表す。鶴との位置関係を探るような松の枝ぶりのためか、あるいは鶴が片足を上げる思わせぶりなポーズをとるためか、単なる吉祥の装飾文様を超えて、絵画的な味わいがある。伸びやかな線も文人画の筆法を彷彿とさせる。器の背面をのぞくと、描かれているのは松樹だけ。鶴は何処へ飛び去ったのか、次なる物語の始まりを予感させる。（T）

辰砂 松鶴文 壺（しんしゃ まつつるもん つぼ）
朝鮮時代
18世紀

101

論考

東アジア主要窯址図

東アジア年表

掲載作品一覧

安宅コレクションの中国陶磁——安宅英一の眼差しとその遺産

小林仁(大阪市立東洋陶磁美術館 学芸課長代理)

はじめに

安宅コレクション九六五件のなかで中国陶磁一四四件は数の上においては韓国陶磁七九三件に遠く及ばないものの、「少数精鋭主義」[1]とも呼ばれる国宝二件と重要文化財十件をはじめ世界的に見ても名品級が勢ぞろいした壮観なラインアップとなっている。

本稿では、安宅コレクションの中国陶磁について、「ものをして語らしむ」[2]とも評される安宅英一氏のコレクションへの眼差しに思いを馳せながら、その特質について迫りたい。

安宅コレクションの中国陶磁とは

安宅コレクションの中国陶磁一四四件は、漢時代から明時代までと結果的に時代幅としてはやや限定されたものとなっているが[3]、とりわけ宋、元、明時代の充実ぶりは著しい。これはもちろん中国陶磁史の黄金期ということとも関連しているが、現在さらに評価の高まっているこの時期の、安宅氏がとくに選び抜いた作品は、その時代や窯、ジャンルを代表するといえるほど際立った特質と魅力を見せており、さらにそこには通底する一つの美意識が感じられる。漢時代より以前のものや清時代のものがほとんどないことなどから、通史的・網羅的という点のみで中国陶磁史を語るには不十分とするのはいささか早計であろう。逆にいえば、各時代の作品が網羅的にあるからといって必ずしも中国陶磁の歴史やその本質を理解できるとは限らない。安宅氏が目指していたのは、中国陶磁に比べ格段の数量と種類を誇る韓国陶磁についても同様だろうが、通史的・網羅的な完全性というよりも、一点で時代や魅力を雄弁に語ることができるような、圧倒的なまでの存在感、そして品格・品性をもった作品であることが、安宅氏の言動や様々なエピソードなどからうかがえる[4]。換言すれば、安宅氏は自身の眼にかなった作品によって、独自の中国陶磁の世界を創造したともいえよう[5]。それゆえ、結果として安宅コレクションの代表的な中国陶磁コレクションを通観すれば、そこには安宅英一という一人の偉大なコレクターであり、芸術家でもあった人物が見抜き、築き上げた中国陶磁の豊穣な世界を体感することができるのである。

中国陶磁の収集―名品と古美術商・コレクター

安宅コレクション草創期の一九五一年(昭和二十六)から始まった韓国陶磁の収集に比べ、中国陶磁の本格的な収集は後発であり、さらに市場価格の高騰という状況のなか、徹底的に狙いを定めた戦略で集められた。安宅コレクションに含まれる英国の大コレクターであるジョージ・ユーモルフォプロス(George Eumorfopoulos、一八六三〜一九三六)の超豪華コレクション図録は一九五一年の購入で、安宅氏の中国陶磁に対する早くからの関心を示し、同時に安宅氏にとって道標の一つであったと推察される。

収集にあたって、安宅氏が最も重視したものが古美術商との関係であったことが多くのエピソードなどからもうかがえる。安宅氏が「望みの綱」とも語ったように[6]、コレクターにとって古美術商は作品を入手する上で極めて重要な存在であった。ただし古美術商との関係は極めて複雑であり、時に良き協力者であり、時に競争相手、そして難攻不落の交渉相手などにもなり一筋縄では行かない。安宅氏は名品があると聞けばどんな小さな店にも自ら出向いたというが、毎日のように足繁く通った一つが日本橋の老舗古美術商「壺中居」で、その創業者である廣田松繁（一八九七～一九七三、号・不孤斎）氏とのエピソードは象徴的である。不孤斎氏は自身が最も気に入った定窯の《白磁刻花 蓮花文 洗》（作品番号25）、鈞窯の《紫紅釉 盆》（作品番号51）、景徳鎮窯の《五彩 松下高士図 面盆》（作品番号59）の三点を「三種の神器」と称して秘蔵していた。安宅氏はそれらを何とか拝見する機会をもち、強く所望したものの、後日書簡で断られた。数カ月後のある日、安宅氏に呼ばれた不孤斎氏が座敷に通されると、床の間の軸にはなんと自身が送った断りの書簡が見事に表装され飾られていた。そして、すかさず背後で深々と頭を下げて手をついた安宅氏が「例の物をなにとぞ、お譲りのほどを」と懇願したまま動こうとしない。これにはさすがの不孤斎氏も「いやぁ、参りました」とついに安宅氏の執念に脱帽したという[7]。こうして「三種の神器」は一九六四年に安宅コレクションに入ることになった。稀代の審美眼をもつ二人だからこそのやりとりである。これを契機に安宅コレクションの中国陶磁収集は本格化し、さらに勢いを増していく。

安宅氏が中国陶磁の収集を本格化させたこの時期は、ちょうど戦前の欧米の著名なコレクターの売立による市場の活性化に加え、日本の高度経済成長も相まって、二十世紀初め頃から始まったいわゆる「鑑賞陶磁（鑑賞陶器）」の新たな展開により、日本に中国陶磁のコレクターが一躍増えた時期でもあった[8]。収集の範囲が世界の市場にも広がり、海外から古美術商を通してもたらされた元・明の青花磁器をはじめとした優品が安宅コレクションにも数多く入っている。これに伴い海外で活躍する仇焱之（Edward. T. Chow、一九一〇～一九八〇）氏や盧芹齋（C. T. Loo、一八八〇～一九五七）氏といった著名な古美術商たちとのつながりも生まれた。とりわけ、一九六九年に日本経済新聞社社長の圓城寺次郎（一九〇七～九四）氏から紹介を受けた仇焱之氏は、安宅氏が収集にあたって最も印象に残る人物として廣田不孤斎氏とともに挙げており、その後五年ほどの間に、後に重要文化財に指定される《法花 花鳥文 壺》（一九六九年購入・作品番号50）、《緑釉黒花 牡丹文 瓶》（一九七三年購入・作品番号22）、《瑠璃地白花 牡丹文 盤》（一九七三年購入・作品番号47）の三点をはじめとして二十点以上の優品が仇氏によって安宅コレクションにもたらされた（図1）。

コレクションには海外の著名オークションでの高額落札など世間を賑わせたものも少なくない。なかでも北宋汝窯《青磁 水仙盆》（作品番号3）や南宋官窯《青磁 八角瓶》（作品番号29）は、前者が一九七〇年二月のサザビーズ（ロンドン）で四万六千ポンド（約四千万円）で落札され、後者が同年十月のクリスティーズ（ロンドン）のオークションで九万ギニー（約八千万円）といずれも古陶磁としての最高記録を更新し話題となった。時にどうしても入手したい作品への執念から、二つの古美術商に同時に注文を出していたという驚きのエピソードもある[9]。

なお、日本伝世の名品である国宝《飛青磁 花生》（作品番号6）は一九六六年、国宝《油滴天目 茶碗》（作品番号5）は一九六八年にそれぞれ入手しているが、安宅氏は国宝や重要文化財といった「肩書」ではなくあくまで作品本位で収集していたことは、重要文化財のほとんどが収集後に指定されたことからもうかがえる。その他、日本の伝世品や財閥旧蔵の優品なども前述の壺中居や同じく老舗古美術商の繭山龍泉堂[10]をはじめとした多くの古美術商の直接、間接の協力により入手している。そのなかには耀州窯の世界的名品《青磁刻花 牡丹唐草文 瓶》（作品番号2）など三菱第四代社長の岩崎小彌太（一八七九～一九四五）氏旧蔵品も含まれており、コレク

図1　仇焱之氏と法花の壺（一九四〇年代初、上海）

ションの中核を担っている。

中国陶磁の公開

安宅コレクションの一般公開は、一九六七年八月に日本経済新聞社主催による日本橋三越で開催された「第六回・美の美展」への特別出品が最初となった。そして、安宅産業時代の一九七六年までに、古美術にも造詣が深く目利きであった前述の日本経済新聞社社長の圓城寺次郎氏の協力により、百貨店において同社主催の安宅コレクションの展覧会が五回開催された（図2）。安宅氏は圓城寺氏を心底尊敬しており、圓城寺氏が驚くようなものをという想いも強かったようで、こうした百貨店における展覧会はコレクション充実の大きな原動力の一つとなった[11]。一九七二年と一九七五年には「安宅コレクション中国陶磁名品展」と題した中国陶磁に限った展示も実現し、中国陶磁コレクションの急速な充実ぶりがうかがえる。

図2　「安宅コレクション東洋陶磁名品展」（一九七〇年）展示風景

図3　安宅産業新館四階展示室（一九六〇年）

こうした展覧会の公開に先立ち、一九六〇年五月には安宅産業新館（新社屋）落成に併せて新館四階に三十点ほどの作品を展示することができる展示室が設置された[12]（図

3）。ここは主に内外からの賓客、招待客のために特別な展示が行われ、来客に合わせて事前に念入りに作品選定と配置を検討したという[13]。先の百貨店での展示においても、安宅氏は作品の選定、順番、配置など自ら念入りに検討し、現場で徹底的に行う細やかな展示指示は「一ミリ単位のディスプレイ」と呼ばれている[14]。こうした安宅氏の展示に対する並々ならぬこだわりは、「ただただものの持つ美的価値を十分発揮させ、損なわせないための儀式であり、作法であった」といい[15]、安宅コレクションの名声はもちろん作品自体の質もさることながら、確固たる展示理念を有したこだわりの展示に拠る部分も大きい。こうした安宅氏の展示に対するこだわりは、伊藤郁太郎名誉館長を通して大阪市立東洋陶磁美術館の展示設計にも反映され、また「一ミリ単位のディスプレイ」に象徴されるその展示手法は良き伝統として継承され、安宅コレクションの遺産として今も大阪市立東洋陶磁美術館に息づいている。

おわりに―中国陶磁の美の基準

住友グループ二十一社の世紀の英断により、安宅英一氏の築き上げた中国陶磁と韓国陶磁の壮大な東洋陶磁コレクションは大阪市立東洋陶磁美術館という安住の地を得て、四十年以上たった今もその価値と意義はさらに高まるばかりである。この間、中国では陶磁史上の重要な発見や発掘も多く、中国陶磁の研究は今なおダイナミックに展開している[16]。そのなかには安宅コレクションの中国陶磁に直接あるいは間接に関わるものも多く、筆者はそうした発掘や研究の成果を紹介する展覧会についても積極的に企画、開催してきた。そうした新発見や新知見を含め調査研究を進めるほどに、安宅コレクションの中国陶磁の学術的価値と意義の大きさを再認識するとともに、それ以上に痛感するのが、その芸術的、美的価値の大きさである。調査研究によって明らかにされる部分とは別に、安宅コレクションの中国陶磁の名品の数々には、単に個人の美意識ということを超えて、時代を超えて変わらない中国陶磁の最高水準の滋味が凝縮している。そして、それこそクラシック音楽、歌舞伎や能などの古典芸能、バレエ、さらには相撲など幅広い芸術や芸能への深い理解と愛着、そして執念にも通じるものであり、安宅コレクションの中国陶磁が普遍的かつ新たな美の基準たりえる所以でもある。

「ものをして 語らしむ」とし、作品について多くを語ろうとしなかった安宅氏は「言葉を失わせるほどのやきものに出会うこと」を追い求めてきたとの指摘どおり[17]、安宅コレクションの中国陶磁と静かに対峙する時、安宅英一氏の眼差しを追体験しながら、安宅氏が追い求めた中国陶磁の美の真髄に触れることができるだろう。

謝辞：本稿執筆にあたり、伊藤郁太郎名誉館長には数々のご教示いただきましたこと、ここに心より御礼申し上げます。

1 林屋晴三「安宅コレクション」大阪市立東洋陶磁美術館編『美の求道者・安宅英一の眼―安宅コレクション』読売新聞大阪本社、二〇〇七年、十四頁。
2 伊藤郁太郎「ものをして語らしむ―安宅英一の美学」前掲注1『美の求道者・安宅英一の眼―安宅コレクション』二二六頁。
3 現時点での時代ごとの内訳件数は、後漢二件、魏晋南北朝一件、唐二十三件、五代三件、宋・金四十七件、元十八件、明五十件となっている。
4 安宅氏は「人間にしても、芸術にしても、最後のところは品格ですね」と述べたという（椎木輝實「品性有りや無しや」椎木輝實・宗施月子『美を追い求めた九十年―安宅英一氏追想録』中央公論事業出版、二〇〇七年、六十四頁）。
5 「安宅コレクション」には中国陶磁と韓国陶磁に加え、日本画家の速水御舟（一八九四～一九三五）の一大コレクション（一九七六年に山種美術館に有償譲渡）の「三本柱」があり、安宅氏にとってその三つが強固に結びつき一つの世界が構築されていたという（伊藤郁太郎「―平成二十八年度第三回研究会―安宅コレクション残影」『東洋陶磁』第四十号、二〇一七年、六十九頁）。
6 「名品ともなれば、秀れた美術商だけが望みの綱。これと思ったものは、ムダといわれようが、笑われようが、何年かかろうが、ひたすらお願いする以外ない」（安宅英一「古美術」前掲注1『美の求道者・安宅英一の眼―安宅コレクション』二二四頁）。
7 前掲注1、『美の求道者・安宅英一の眼―安宅コレクション』六十八頁。
8 川島公之「わが国の〝鑑賞陶磁〟史概要」『陶説』八三五号、二〇二三年、十二頁。
9 宮島格三「一級品にかける安宅英一の執念」『陶説』八三四号、二〇二三年、三十七‐三十九頁。
10 繭山龍泉堂編『龍泉集芳』（繭山龍泉堂、一九七六年）には、重要美術品の《三彩貼花 宝相華文 壺》（作品番号14）をはじめ安宅コレクションにある作品が少なからず見られる。
11 伊藤郁太郎『美の猟犬―安宅コレクション余聞』日本経済新聞社、二〇〇七年、二二二頁。
12 藤岡了一「朝鮮陶磁の逸品―安宅産業新館の古陶展観」『日本経済新聞』一九六〇年五月十一日。なお、安宅産業では一九六五年には美術館構想の検討が始まっていた（前掲注11、伊藤郁太郎『美の猟犬―安宅コレクション余聞』二十‐二十二頁、小林仁「大阪市立東洋陶磁美術館の安宅コレクション―安宅英一氏の収集とその遺産」『美術フォーラム21』第四十二号、二〇二〇年、九十七頁）。
13 前掲注11、伊藤郁太郎『美の猟犬―安宅コレクション余聞』一三六‐一三七頁。
14 前掲注11、伊藤郁太郎『美の猟犬―安宅コレクション余聞』四十五‐四十七頁。
15 前掲注11、伊藤郁太郎『美の猟犬―安宅コレクション余聞』七十一頁。
16 小林仁「大阪市立東洋陶磁美術館所蔵の中国陶磁コレクション―中国陶磁研究の現状とその成果から―」『大阪市立東洋陶磁美術館コレクション 悠久の光彩 東洋陶磁の美』サントリー美術館、二〇一一年、一八六‐一九七頁。
17 前掲注2、伊藤郁太郎「ものをして語らしむ―安宅英一の美学」二二六‐二二七頁。

安宅コレクションの韓国陶磁

鄭銀珍（大阪市立東洋陶磁美術館 主任学芸員）

韓国陶磁室と中国陶磁室

大阪市立東洋陶磁美術館では、安宅コレクションの一部を韓国陶磁室と中国陶磁室に分けて常時展示している。自然光が降り注ぐ吹き抜けロビーの大理石の壁には、韓国・三国時代の《鴨形土器》が飾りつけられ、来館者を最初の展示室・韓国陶磁室へと誘う。ほのかに暗い韓国陶磁室で私たちをまず迎えるのは、高麗時代の《青磁 洗》（作品番号62）と《青磁 輪花形鉢》である。いずれも器形や目跡の置き方など中国北宋の名窯・汝窯の影響が明らかで、薄作りの精巧な作行きとともに、深く澄んだ灰青色の釉色が高麗青磁独自の魅力を伝える。

コレクションの韓国陶磁全七九三件は、三国土器四件、高麗陶磁三〇四件、そして朝鮮陶磁四八五件からなり、これらを基礎とする韓国陶磁室はA高麗時代、B朝鮮時代・粉青およびC朝鮮時代・磁器の三室に分かれ、それぞれ技法別、年代別に、A室は純青磁、象嵌青磁、鉄絵、黒釉、白磁、B室は粉青象嵌、線刻、掻落、刷毛目、粉引、粉引鉄絵、そしてC室は白磁、青花、鉄絵、辰砂、黒釉という順序で系統的に整然と展示される。これらは高麗時代から朝鮮時代にいたる韓国陶磁史の展開を、技法別の分類の上でもほぼ完全に網羅しているだけでなく、その歴史を第一級の名品によってたどることを可能にしている。すなわち、幅の広さ、奥行の深さ、質の高さと三拍子そろって一堂に見渡せることが安宅コレクション韓国陶磁のもっとも大きな特徴といえるだろう。

しかし、このコレクションを構築した安宅英一氏は、最初からこのような韓国陶磁史を頭に描いて作品の収集につとめたわけではない。美術品、なかでも名品は、好きな時に好きな物を購入できるわけではない。安宅氏は天与の鋭い美的感性によって、ほぼ直感的に作品を選んでいったが、結果的に収集の規模が大きくなると、自然発生的に、系統的収集の形をとるにいたっていたのである。すぐれて個性的なコレクションと評される所以である。

その点を象徴することとして、日本ではあまり知られていないが、著名な美術館の韓国陶磁室常設展示用に二十~三十点に上る出品物のすべてを安宅コレクション韓国陶磁から長期間貸し出したことである。すなわち、アメリカでは、ニューヨークのメトロポリタン美術館の韓国陶磁室に二〇〇〇年六月から二〇〇二年六月までの二年間、ヨーロッパではベルリン国立博物館・東洋美術館の韓国陶磁室に二〇〇〇年十月から二〇〇四年九月までの約四年間、毎年展示替えをしながら常設展示の役割を果たし、両館の展示活動に協力したことがある。当館ならではの国際的活動の成果であるといえよう。

コレクションの成長

安宅コレクションの性格を理解するためには、その完成された姿だけでなく、歴史的な側面も見ておく必要がある。そこで、現在の整然とした展示方法を一旦離れ、形成史をたどりながらコレクションを紹介しようと試みた展覧会が、大阪市立東洋陶磁美術館開館二十五周年の節目に二〇〇七年から翌〇八年にかけて各地を巡回した「美の求道者・安宅英一の眼―安宅コレクション」展であった。

同展図録によれば、安宅コレクションには第一期から第四期まで四段階の形成過程が見られる。

第一期草創期（一九五一～五三）において安宅産業株式会社の事業の一環として美術品の収集が始まるのは、一九五一年（昭和二十六）からである。館蔵品番号第一番の《粉青絵粉引 草花文 瓶》（図1）は、高さ十七・五センチの小さな瓶で、ややゆがんだクリーム色の胴に、わらびのようにも見える簡素な草花を鉄絵具で描く。朝鮮時代の十六世紀に焼かれた素朴なこの瓶がコレクション最初の作品となったのは象徴的だ。一説によれば安宅英一氏がやきものに興味をもつようになったのは、一九三四年に、コレクターでもあった住友合資会社林業所の多田平五郎氏に朝鮮工芸会の展覧会へ連れていかれたこと、もしくは戦前、多田氏の韓国陶磁コレクションを一括して購入したことによるともされる。いずれにせよ第一期に収集された三十点にも満たない作品群は、中国・金時代の《三彩刻花 花文 瓶》を除きすべて韓国陶磁で占められ、しかも、その三彩瓶を含め、素朴で味わい深いものが多い。このような美意識が、コレクションの出発点となったようだ。

図1 粉青絵粉引 草花文 瓶 朝鮮時代・16世紀

第二期発展期（一九五四～一九六五）も韓国陶磁一〇二点、中国陶磁二十点と、引き続き韓国陶磁に比重を置く収集となる。ただし、第二期でとりわけ注目すべきは、安宅コレクション韓国陶磁の顔とも称すべき名品を、とくに五十年代に矢継ぎ早に入手していることだ。一九五四年入手の《青磁象嵌 六鶴文 陶板》（作品番号7）、一九五五年重要美術品《青磁彫刻 童女形水滴》（作品番号73）、一九五六年重要美術品《青磁印花 夔龍文 方形香炉》（作品番号71）、《粉青粉引 瓶》（作品番号88）、一九五七年重要文化財《青磁象嵌 童子宝相華唐草文水注》（作品番号8）、一九五八年《青花 窓絵草花文 面取壺》（作品番号98）、《白磁透彫 蓮花文 盆台》（作品番号94）などである。このうち、一九五七年購入の作品番号8は一九八〇年六月六日に重要文化財に指定された。また水瓶を抱える少女を写した《青磁彫刻 童女形水滴》は、高さわずか十一・二センチの小品ながら、美しい釉色ともあいまって、その愛らしい姿が見る者をとらえて放さない。さらに《青花 窓絵草花文 面取壺》（作品番号98）は、小説家の立原正秋氏を安宅産業大阪本社の展示室へ特別に招いた時、立原氏は了解を得たうえでこの壺を抱えると、そのまま床に坐りこみ、長いあいだ指でその肌をなでていたという。

安宅氏は、ねらった作品を手に入れるために長い時間をかけ、さらには入念に策を練ることがあった。《白磁透彫 蓮花文 盆台》（作品番号94）の場合、まず所蔵者の次男を適齢期に安宅産業に入社させ、音楽会や食事会に誘うなどしばしば歓待した。そして、二、三年後の頃合いを見計らったうえで古美術商を通して所有者に打診し、譲渡の快諾を得ている。ただしこれは、この次男だけに限ったことではない。とくに眼に留まった若い社員にも同じような情操教育を施すのを常とした。ほかに、安宅氏は目標とする作品の写真や図版を寝室の手前によく掲げることがあったが、一九六一年購入の《青花 草花文 面取瓶》（作品番号97）の場合、それが数年間に及んだという。戦前から日本人にとりわけ好まれたいわゆる秋草手の作品である。この場合、入手のために数年間、策を練り続けたことになる。

第三期成熟期（一九六六〜一九七五）は社会全体の好景気と安宅産業の事業拡大があいまって、国宝《飛青磁 花生》（作品番号6）、国宝《油滴天目 茶碗》（作品番号5）、汝窯《青磁 水仙盆》（作品番号3）をはじめとする中国陶磁コレクションが一挙に充実した時期である。安宅氏はほとんど文章を残さなかったが、一九六七年の夏頃に執筆されたと思われる草稿「古美術」のなかで、「陶磁器はかなり以前から、李朝・高麗のわび・さびにひかれているが、近来、折目正しい中国ものにも心うばわれ、ささやかながら蒐集につとめている」と述べ、この時期に中国のものへも興味を広げていったことをうかがわせる。日本の著名な古美術商・廣田不孤斎氏の助言による所が大きかったようである。こうしてコレクションのなかに韓国と中国の名品が並ぶことになる。

当館の伊藤郁太郎名誉館長は安宅氏の美意識について、「安宅氏が排除したのはつくろいの心の見え過ぎるものであり、素直で自然なものは、その美しさを見落とすことはなかった」という（『美の猟犬』二〇一頁）。これは、一見、間の抜けたようにも見える《青花辰砂 牡丹文 瓶》（図2）についての評言だが、おそらくそれが韓国、中国両コレクションに通底する安宅氏の基本的感性であったろう。中国の清朝物を忌避したのも、その現れである。

図2 青花辰砂 牡丹文瓶 朝鮮時代・19世紀

この時期、韓国陶磁の分野では、《青磁 獅子形枕》（作品番号74）、《青磁陽刻 牡丹蓮花文 鶴首瓶》（作品番号67）、《青磁象嵌辰砂彩 牡丹文 鶴首瓶》（作品番号77）、《粉青鉄絵 蓮池鳥魚文 俵壺》（作品番号10）、《青花梅竹文壺（「辛丑」銘）》（作品番号11）など、世の中に一点しかないという希代の名品を入手している。

一九七七年、カナダでの石油事業の頓挫を発端として資金繰りが悪化し、安宅産業は事実上、倒産する。ただし安宅コレクションの収集活動はそれ以前の七五年三月末に終っており、七六年が第四期整理期となった。古美術商への未払金の処理や、子会社に移し替えていた美術品の引き戻し作業などである。

魅力の再発見

安宅コレクション韓国陶磁が、高麗時代から朝鮮時代にいたる韓国陶磁史の流れを通観するものになっていることは前述の通りだ。だがその韓国陶磁史全体の枠組みが構築されたのは、近代以降のことであった。高麗青磁にいたっては、高麗の滅亡後に世の中から姿を消してすでに幻のやきものとなっており、陶磁器自体が墳墓等から再発見されて流通しはじめるのが、一八八〇年代以降なのである。朝鮮陶磁は十九世紀の時点で世上には存在していたが、美術品として認識されるのは高麗青磁よりさらに遅れ、本格的に研究者の視野に入りはじめるのは一九二〇年代以降となる。そしてこのなかで、韓国陶磁史の時期区分、高麗青磁窯址の発見、朝鮮白磁の再評価などが行われていった。

戦後になると、とくに韓国での考古学的発掘や各種発見などが活発になり、研究はさらに本格化した。それに伴い安宅コレクションにも新たな光があたることになるが、以下では筆者が近年あらたに気づいたことを二点に限って紹介したい。

まず、高麗青磁にかんしては高麗晩期の文人・李圭報（一一六八〜一二四一）の「案中三詠」が興味深い（『東国李相国文集』巻十三）。この詩のなかで李は、机上の器物の一つである青磁の水滴を、「青い衣の小さな童子、玉の肌に、……瓶を掲げて水のしずくを供す……」と描写する。これはまさに安宅コレクションの《青磁彫刻 童女形水滴》（作品番号73）や《青磁彫刻 童子形水滴》を彷彿とさせる。さらに「緑甆枕」詩では、「彫刻をほどこした青磁の枕は水の色よりも澄み、手に取って擦すれば玉のなめらかさ」と詠う（同、巻十三）。これは安宅コレクションの《青磁 獅子形枕》（作品番号74）を思わせる。高麗の人々はこうしたものをたしかに身辺に置き、翡翠の玉に通じる高麗青磁の釉色や質感を愛したのであった。北宋の文人官僚・徐兢が『宣和奉使高麗図経』で、高麗人は高麗青磁を「翡色」と呼んで愛玩していると記したのは、まさにこうした見聞によるのだろう。

つぎに、朝鮮陶磁については、朝鮮王朝の儀礼との関係が注目される。朝鮮王朝（一三九二〜一九一〇）は儒教を政治や倫理の根本理念とし、主要な儀礼を整えた時期であった。さらに、太宗七年（一四〇七）に

図3《粉青祭器》
慶尚南道梁山市伽倻津祠出土
梁山市立博物館所蔵　筆者撮影

は金属不足のため、もともと使用していた金属器に替えて沙器（陶磁器）や漆器が奨励されるようになる。十五世紀半ばからは地方にも儒教祭祀が広まり、宮廷規範にもとづく金属製祭器にならった祭器が粉青でつくられた。近年、慶尚南道鎮海市熊川陶窯址から粉青祭器片が、さらに同道梁山市架山里陶窯址で粉青祭器片が出土し、またこの梁山架山里陶窯で製作された《粉青祭器》は同市伽倻津祠で龍神をまつる祭堂に捧げられるなど（図3）、地方での実用化の状況が明らかになりつつある。これらと類似する安宅コレクションの《粉青白地象嵌 条線文 簠》（作品番号9）や《粉青粉引簠》（作品番号89）は、粉青祭器の代表作として、堂々たるその造形が威厳に満ちた存在感を漂わせている。

世宗二十九年（一四四七）には、祖先を祀る儀礼において銀器を白磁に替え、世祖元年（一四五五）には酒盞に青花を用いるよう官命が下る。流麗で格調の高い《白磁 角杯》（作品番号91）は、北宋時代の『礼書』「祭器図説」に掲載されている「觥」の形そのものであり、王室用の白磁の祭器であったことは間違いない。また《青花 宝相華唐草文 盤》（作品番号96）は現存する朝鮮前期青花盤の貴重な作例の一つだが、本作のような盤が『世宗実録』「五礼儀」（図4）に描かれていることから、儀礼用の酒器の托であったことがわかる。さらに、儀礼や宴会用の酒器と思われる朝鮮前期の青花壺（作品

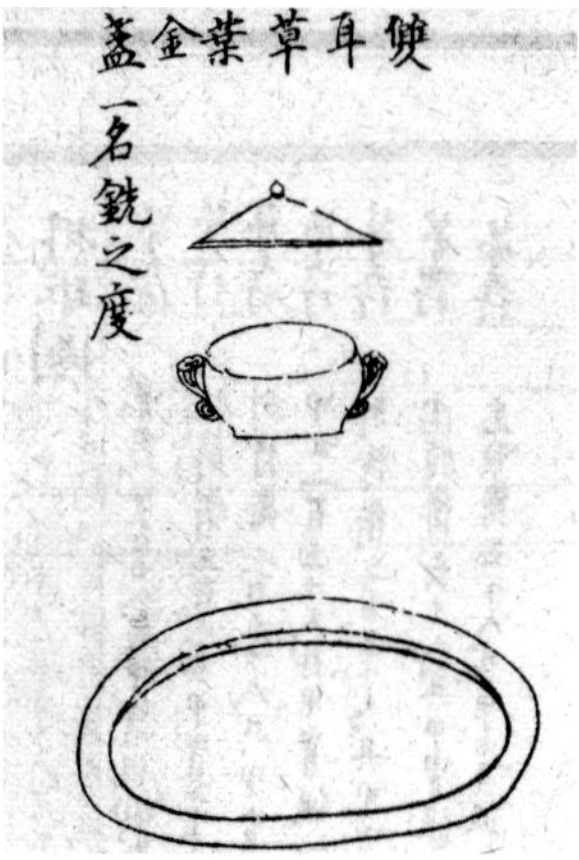

図4　双耳草葉金盞の托
『世宗実録』「五礼・嘉礼序例（尊爵）」

番号11）で現存するのは十指に満たないほど少ないなかで、安宅コレクションは三点を所蔵しており、注目される。

むすび

高麗青磁が認知されはじめた一八八〇年代から安宅コレクションの収集活動が終了する一九七五年まで、その間およそ一〇〇年となる。この一〇〇年の間に高麗・朝鮮両時代の陶磁器が再発見され、収集、研究された。こうして今日、安宅コレクション韓国陶磁の各作品は、考古学的、文献学的、美術史的観点に沿って、それぞれしかるべき場所に展示され、静かで確固としたひとつの世界を構築している。それは点数が多いことだけに限らず、様々な器形や技法を網羅し、当館単独であらゆるテーマごとの展覧会が開催できるほどの内容を備えている。安宅コレクション韓国陶磁のもつ本来の発信力をますます高めることに、さらに力を注ぎたい。

謝辞：本稿をまとめるにあたり、伊藤郁太郎名誉館長からご教示いただきました。心から謝意を表します。

〔参考文献〕

小林仁「大阪市立東洋陶磁美術館の安宅コレクション」『美術フォーラム21』第四十二巻、醍醐書房、二〇二〇年。

伊藤郁太郎「安宅コレクション残影」『東洋陶磁』第四六号、二〇一七年三月。

大阪市立東洋陶磁美術館編『美の求道者・安宅英一の眼—安宅コレクション』、読売新聞大阪本社、二〇〇七年。

安宅英一「古美術」『美の求道者・安宅英一の眼—安宅コレクション』展図録所収、二〇〇七年。

伊藤郁太郎『美の猟犬—安宅コレクション余聞』日本経済新聞出版社、二〇〇七年。

肥塚良三「安宅コレクションの朝鮮陶磁」大阪市立東洋陶磁美術館・朝日新聞社編『安宅コレクションの至宝』、朝日新聞社、一九九八年。

林屋晴三「安宅コレクション—収集の周辺—」『安宅コレクション名陶展—高麗・李朝』、一九七六年。

大阪と住友の轍――住友が大阪の都市文化に遺したもの

竹嶋康平（泉屋博古館 学芸員）

本展覧会は、安宅コレクションの大阪市への寄贈という住友グループの過去の文化貢献を機縁に実現したものだが、本稿では、もう少し歴史を追って住友の文化貢献、とくに大阪という都市に果たした役割について振り返りたい。近代以降、拡大と膨張を続けてきた大阪は、その都度、大都市に相応しい文化的な施設や催しを必要としてきた。そうした時、江戸時代以来大阪に基盤を置いてきた住友は、様々な形でその支援を行ってきた。その例として、ひとまず話は、明治時代、大阪に図書館が待望されていた時代まで遡る。

中之島と図書館

明治初期、大阪には明治九年（一八七六）開設の府立の書籍館があったが、財政悪化により明治二十一年（一八八八）に閉鎖されると、大阪は本格的な図書館施設をもたない街となってしまった。そこで今度は大阪市が「第二の都府と称せらるる大阪に図書館の設けなきは不都合なり」として、明治二十七年（一八九四）に図書館設置を計画するが、これも財政難から見送られてしまう。この事態を十五代住友吉左衛門友純（ともいと）（一八六四～一九二六、号・春翠（しゅんすい））は残念に思い、図書館の寄贈を考え始めたようだ。やがて東京上野に帝国図書館（一八九七）、京都御苑に京都府立図書館（一八九八）と公共図書館が相次いで二都に設置されると、明治三十二年（一八九九）に大阪府が再度、図書館設置を計画する。これを知った住友春翠は、今度こそ実現されるよう図書館の寄付を決断する。

春翠の頭に浮かんだのは、欧米視察で目の当たりにした、都市やそこで暮らす市民に文化貢献を果たす資本家の姿であった。とくに実業家マーシャル・フィールド（一八三四〜一九〇六）の寄付でコロンビアン博物館（現・フィールド自然史博物館）を開設したシカゴの事例が念頭にあったらしい。

さっそく春翠は、住友の事業を指揮していた二代目総理事の伊庭貞剛（一八四七〜一九二六）らに図書館建設の事前調査を指示し、伊庭らは帝国図書館長であった田中稲城（一八五六〜一九二五）に意見を求めた。田中は、「住友が建設費や図書購入基金を寄付すること。その代わり図書館名には『住友』を冠すること。」などを提言した。住友側はこれをもとに設立建白書を練り、菊池侃二府知事（一八五〇〜一九三二）に提出した。その内容は、寄付金額も含めて田中案にほぼ沿うものであったが、館名については「住友」を外し、公共性を尊び「大阪図書館」とした。これが現在の大阪府立中之島図書館だが、今も図書館には、住友家が納めた図書館設立の趣旨を記す扁額が掲げられている。扁額は住友家の家業を象徴する銅製で、鋳込まれた選文には図書館開設によって大阪のさらなる繁栄を願う春翠の思いがつづられている。

図書館の設計は住友本店臨時建築部（現在の日建設計）の野口孫市（一八六九〜一九一五）に任せられた。ネオ・バロック様式に基づく建築は、西洋の建築様式を咀嚼した日本近代建築の代表作として高い評価を受けている。こうした壮麗な図書館の出現は、中之島の景観を一変させることにもつながった。かつて蔵屋敷が建ち並んだ諸国産物の集積地は、やがて大正期に大阪市中央公会堂、昭和期には大阪市立東洋陶磁美術館などが立ち並ぶようになる文化の集積地へと変貌していく。

明治三十七年（一九〇四）の開館以降、図書館には住友家以外にも府下の蔵書家から書籍の寄贈が相次ぎ、民間が公共を支える大阪らしい形で図書館は運営されていく。春翠も大正六年（一九一七）に図書館のさらなる増築の寄付を申し出て、大正十一（一九二二）年に完成させ、さらにその記念で理工書約二万冊をドイツで購入して寄贈した。

天王寺と美術館

図書館建設と並行して、大阪は第五回内国勧業博覧会（内国博）の誘致を東京と争っていた。とくに四回目の内国博の開催を京都に先越された大阪は一歩も引かず、誘致を成功させた。春翠も協賛会の会長に就任し、開催に尽力した。明治三十六年（一九〇三）の第五回内国博は、四天王寺の門前町にして、鉄道駅の開設によって開発著しかった天王寺を第一会場とし（第二会場は堺・大浜）、活況を呈した。将来的な万国博覧会開催も視野に入れるなど、最後にして最大の内国博となった。

内国博の天王寺会場に隣接する茶臼山に別邸を有していた春翠は、大正四年（一九一五）にこれを本邸に改めた。大正期の大阪市は、池上四郎市長（一八五七～一九二九）のもと、御堂筋拡幅計画を策定するなど、いわゆる「大大阪時代」の幕開けを迎えつつあった。文化施設の拡充にも意欲的で、東京、京都に次ぐ国内三番目の動物園を内国博の天王寺会場跡に開設し、続いて美術館の建設も目指していた。しかし、その建設地がなかなか決まらず、それを耳にした春翠は茶臼山本邸の敷地を寄付することを市に申し出た。大正十年のことであった。計画こそ京都に先んじたが、不況や市の財政悪化で着工は遅れ、昭和十一年（一九三六）国内三番目の公立美術館として開館を迎えている。惜しむらくは、完成前に春翠が世を去ったことだが、その遺志を継承した十六代住友吉左衛門友成（一九〇九～九三）は、関西邦画展覧会出陳の近代日本画二十点を寄贈するなど美術館への支援を続けた。他にも大阪の実業家らが収集品を次々と寄贈して美術館を支え、現在の大阪市立美術館へ至る。美術館用地の寄付にあたっては、新たに建物を建てやすいように、屋敷を取り壊して更地にして引き渡したため、今に住友邸の名残を留めるものは少ない。そのなかで美術館の後背に広がる庭園・慶沢園は、往時を偲ばせる貴重なスポットとして市民の憩いの場となっている。

千里丘と万博、そして

こうした文化支援は戦後の住友グループにも継承された。昭和四十五年（一九七〇）の大阪万博はその代表例で、住友グループはパビリオン「住友童話館」を大阪郊外の北摂・千里丘の万博会場に建設した。図書館や美術館と比較すると、いささか遊興的と思われるかもしれないが、童話を素材に小中学生に主なターゲットを絞った異色のパビリオンであったことは付言しておきたい。空前の盛況を記録した大阪万博は、都市として成熟した大阪を世界へ発信する機会となった。

しかし、着実に進行する東京への一極集中で大阪財界の地盤沈下が始まるなか、その象徴ともいうべき安宅産業の経営破綻まではもうまもなくである。そして、破綻処理で浮上する安宅コレクションの存続問題。大阪と住友は、明治以来の軌跡を思い起こすように、世界に誇る安宅コレクションの散逸を防ぎ、かつ公共に広く開いた未来を描き出そうと動き始めるのである。

〔参考文献〕
『大阪府立図書館要覧』大阪府立図書館、一九二八年三月。
「住友春翠」編纂委員会編『住友春翠』芳泉会、一九五五年。
「中之島百年―大阪府立図書館のあゆみ」編集委員会編『中之島百年―大阪府立図書館のあゆみ』大阪府立中之島図書館百周年記念事業実行委員会、二〇〇四年。

東アジア主要窯址図

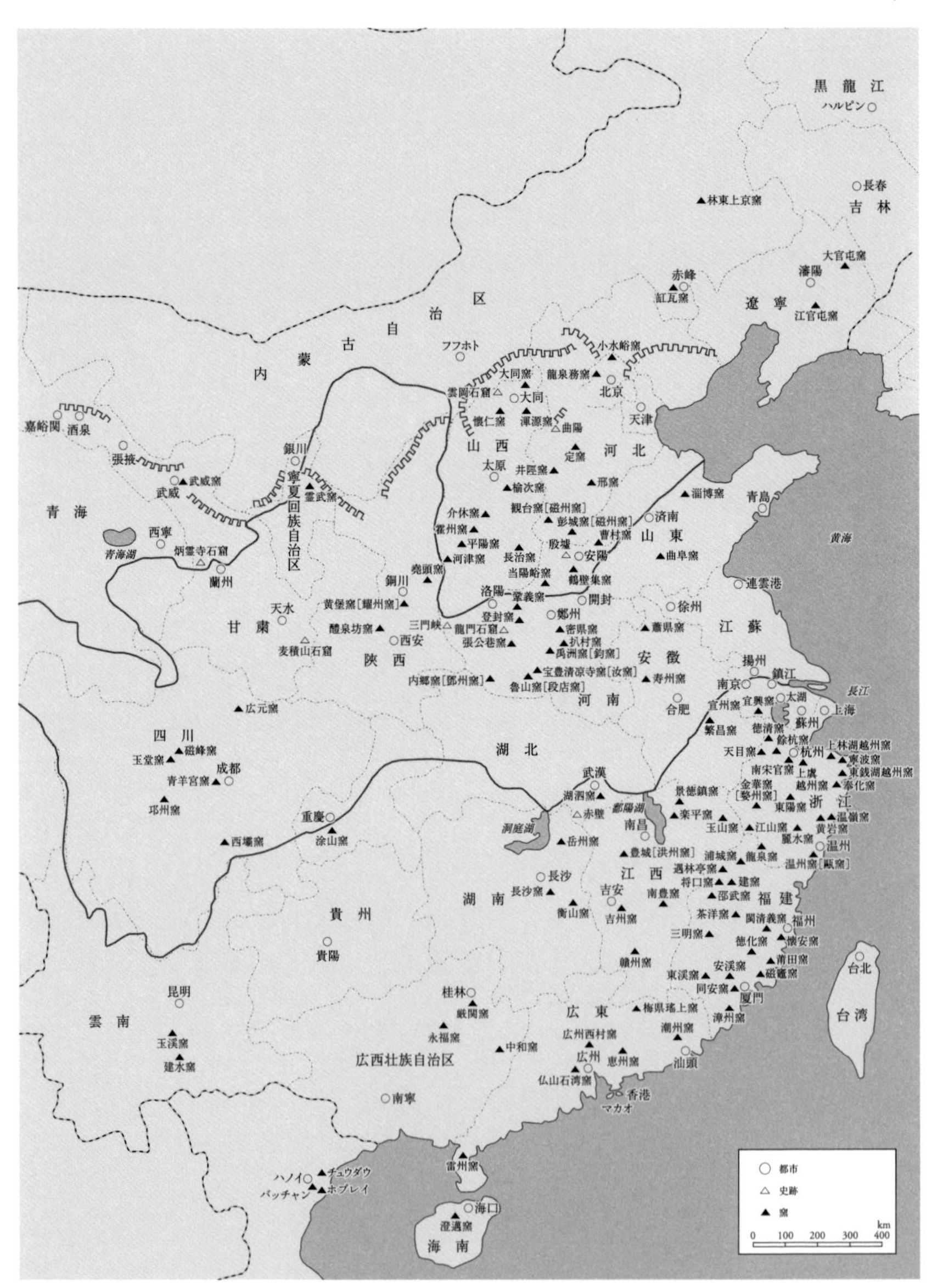

黒龍江
ハルピン
長春
吉林
林東上京窯
大官屯窯
赤峰
瀋陽
缸瓦窯
遼寧
江官屯窯
内蒙古自治区
フフホト
小水峪窯
大同窯
龍泉務窯
雲岡石窟
大同
北京
天津
嘉峪関
酒泉
懐仁窯
渾源窯
曲陽
張掖
銀川
山西
定窯
河北
武威窯
武威
寧夏回族自治区
霊武窯
太原
井陘窯
邢窯
青海
楡次窯
淄博窯
青島
西寧
介休窯
観台窯[磁州窯]
済南
霍州窯
彭城窯[磁州窯]
黄海
青海湖
炳霊寺石窟
平陽窯
殷墟
曹村窯
山東
河津窯
長治窯
安陽
曲阜窯
蘭州
堯頭窯
当陽峪窯
鶴壁集窯
連雲港
銅川
洛陽
鞏義窯
開封
天水
黄堡窯[耀州窯]
登封窯
鄭州
徐州
甘粛
醴泉坊窯
三門峡
龍門石窟
密県窯
蕭県窯
江蘇
西安
扒村窯
麦積山石窟
陝西
張公巷窯
禹州窯[鈞窯]
安徽
揚州
内郷窯[鄧州窯]
宝豊清涼寺窯[汝窯]
寿州窯
鎮江
魯山窯[段店窯]
南京
長江
河南
合肥
宜興窯
太湖
広元窯
宜州窯
蘇州
上海
四川
繁昌窯
徳清窯
磁峰窯
湖北
餘杭窯
上林湖越州窯
玉堂窯
天目窯
杭州
寧波窯
成都
南宋官窯
上虞
東銭湖越州窯
青羊宮窯
武漢
越州窯
奉化窯
景徳鎮窯
金華窯
[婺州窯]
湖泗窯
鄱陽湖
東陽窯
浙江
邛州窯
重慶
赤壁
楽平窯
温嶺窯
南昌
洞庭湖
玉山窯
江山窯
黄岩窯
西壩窯
涂山窯
岳州窯
麗水窯
温州
豊城[洪州窯]
浦城窯
龍泉窯
温州窯[甌窯]
長沙
遇林亭窯
江西
将口窯
建窯
吉安
長沙窯
湖南
南豊窯
邵武窯
福建
衡山窯
吉州窯
茶洋窯
閩清義窯
貴州
福州
三明窯
徳化窯
懐安窯
貴陽
贛州窯
莆田窯
台北
東渓窯
安渓窯
磁竈窯
昆明
桂林
同安窯
厦門
広東
梅県瑤上窯
台湾
雲南
厳関窯
漳州窯
永福窯
広州西村窯
潮州窯
玉渓窯
中和窯
広州
広西壮族自治区
恵州窯
汕頭
建水窯
仏山石湾窯
香港
マカオ
南寧
雷州窯
ハノイ
チュウダウ
バッチャン
ホブレイ
海口
澄邁窯
海南
都市
史跡
窯
km
0
100
200
300
400

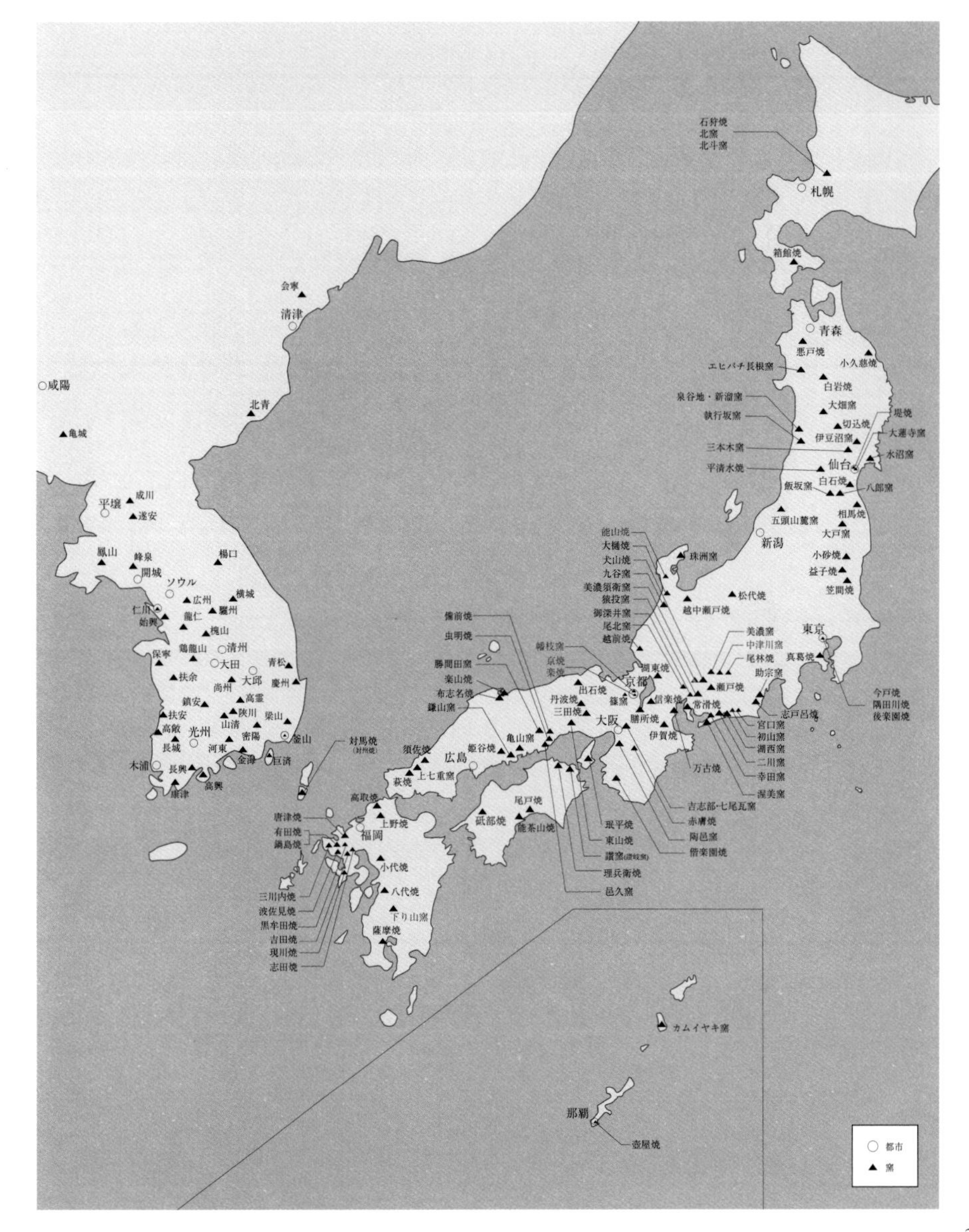
石狩焼
北窯
北斗窯
札幌
箱館焼
青森
悪戸焼
小久慈焼
エヒバチ長根窯
白岩焼
泉谷地・新溜窯
大畑窯
執行坂窯
切込焼
堤焼
伊豆沼窯
大蓮寺窯
三本木窯
水沼窯
平清水焼
仙台
白石焼
飯坂窯
八郎窯
相馬焼
五頭山麓窯
大戸窯
新潟
珠洲窯
小砂焼
益子焼
笠間焼
能山焼
大樋焼
犬山焼
九谷窯
美濃須衛窯
猿投窯
御深井窯
尾北窯
越前焼
松代焼
越中瀬戸焼
美濃窯
中津川窯
尾林焼
東京
真葛焼
助宗窯
今戸焼
隅田川焼
後楽園焼
湖東焼
京都
瀬戸焼
信楽焼
常滑焼
志戸呂焼
膳所焼
伊賀焼
宮口窯
初山窯
湖西窯
二川窯
幸田窯
渥美窯
万古焼
吉志部・七尾瓦窯
赤膚焼
陶邑窯
偕楽園焼
珉平焼
東山焼
讃窯(讃岐窯)
理兵衛焼
邑久窯
備前焼
虫明焼
幡枝窯
京焼
楽焼
勝間田窯
楽山焼
出石焼
布志名焼
丹波焼
鎌山窯
三田焼
篠窯
大阪
亀山窯
姫谷焼
広島
須佐焼
上七重窯
萩焼
尾戸焼
砥部焼
能茶山焼
高取焼
上野焼
唐津焼
有田焼
鍋島焼
福岡
小代焼
八代焼
下り山窯
薩摩焼
三川内焼
波佐見焼
黒牟田焼
吉田焼
現川焼
志田焼
対馬焼
(対州焼)
会寧
清津
咸陽
北青
亀城
平壌
成川
遂安
鳳山
峰泉
開城
楊口
ソウル
広州
横城
仁川
始興
龍仁
驪州
槐山
鶏龍山
清州
保寧
大田
青松
扶余
大邱
慶州
尚州
高霊
鎮安
陜川
扶安
山清
梁山
高敞
光州
密陽
釜山
長城
河東
金海
巨済
木浦
長興
高興
康津
カムイヤキ窯
那覇
壺屋焼
都市
窯

東アジア年表

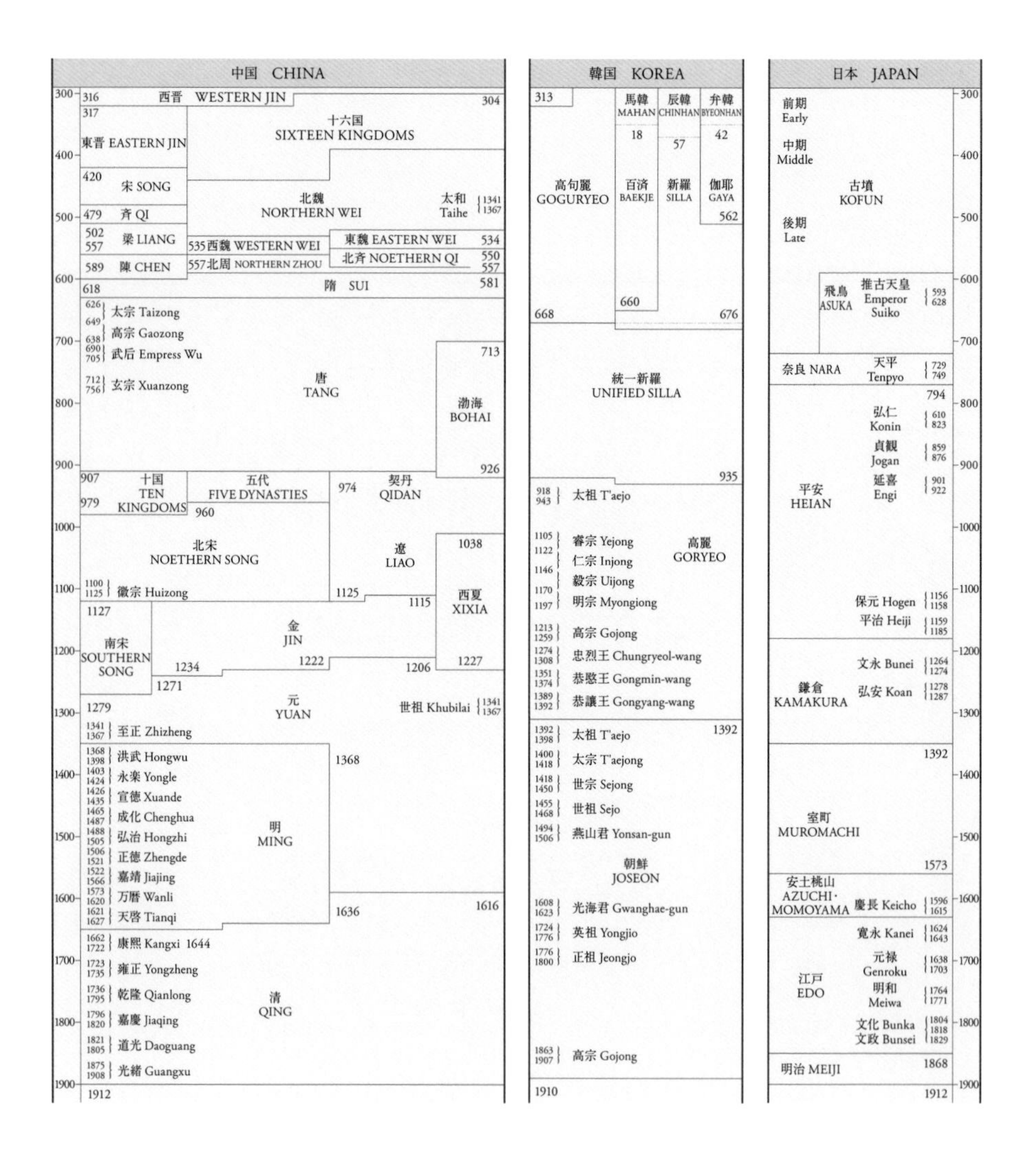

中国 CHINA
316 西晋 WESTERN JIN 304
317 東晋 EASTERN JIN
十六国 SIXTEEN KINGDOMS
420 宋 SONG
479 斉 QI
502 557 梁 LIANG
589 陳 CHEN
北魏 NORTHERN WEI
太和 Taihe 1341 1367
535 西魏 WESTERN WEI
557 北周 NORTHERN ZHOU
東魏 EASTERN WEI 534
北斉 NOETHERN QI 550 557
618 隋 SUI 581
626 649 太宗 Taizong
638 高宗 Gaozong
690 705 武后 Empress Wu
712 756 玄宗 Xuanzong
唐 TANG
713 渤海 BOHAI 926
907 十国 TEN KINGDOMS 979
五代 FIVE DYNASTIES 960
974 契丹 QIDAN
北宋 NOETHERN SONG
遼 LIAO
1038 西夏 XIXIA
1100 1125 徽宗 Huizong
1125 1115
1127 南宋 SOUTHERN SONG
金 JIN
1234 1222 1206 1227
1271
1279 元 YUAN
世祖 Khubilai 1341 1367
1341 1367 至正 Zhizheng
1368 1398 洪武 Hongwu
1403 1424 永楽 Yongle
1426 1435 宣德 Xuande
1465 1487 成化 Chenghua
1488 1505 弘治 Hongzhi
1506 1521 正德 Zhengde
1522 1566 嘉靖 Jiajing
1573 1620 万暦 Wanli
1621 1627 天啓 Tianqi
明 MING
1368
1636 1616
1662 1722 康熙 Kangxi 1644
1723 1735 雍正 Yongzheng
1736 1795 乾隆 Qianlong
1796 1820 嘉慶 Jiaqing
1821 1805 道光 Daoguang
1875 1908 光緒 Guangxu
清 QING
1912
韓国 KOREA
313
馬韓 MAHAN
辰韓 CHINHAN
弁韓 BYEONHAN
18 57 42
高句麗 GOGURYEO
百済 BAEKJE
新羅 SILLA
伽耶 GAYA
562
660
668 676
統一新羅 UNIFIED SILLA
935
918 943 太祖 T'aejo
1105 睿宗 Yejong
1122 仁宗 Injong
1146 毅宗 Uijong
1170 明宗 Myongiong
1197
高麗 GORYEO
1213 1259 高宗 Gojong
1274 1308 忠烈王 Chungryeol-wang
1351 1374 恭愍王 Gongmin-wang
1389 1392 恭讓王 Gongyang-wang
1392
1392 1398 太祖 T'aejo
1400 1418 太宗 T'aejong
1418 1450 世宗 Sejong
1455 1468 世祖 Sejo
1494 1506 燕山君 Yonsan-gun
朝鮮 JOSEON
1608 1623 光海君 Gwanghae-gun
1724 1776 英祖 Yongjio
1776 1800 正祖 Jeongjo
1863 1907 高宗 Gojong
1910
日本 JAPAN
前期 Early
中期 Middle
古墳 KOFUN
後期 Late
飛鳥 ASUKA
推古天皇 Emperor Suiko 593 628
奈良 NARA
天平 Tenpyo 729 749
794
弘仁 Konin 610 823
貞観 Jogan 859 876
延喜 Engi 901 922
平安 HEIAN
保元 Hogen 1156 1158
平治 Heiji 1159 1185
文永 Bunei 1264 1274
鎌倉 KAMAKURA
弘安 Koan 1278 1287
1392
室町 MUROMACHI
1573
安土桃山 AZUCHI・MOMOYAMA
慶長 Keicho 1596 1615
寛永 Kanei 1624 1643
元禄 Genroku 1638 1703
江戸 EDO
明和 Meiwa 1764 1771
文化 Bunka 1804 1818
文政 Bunsei 1829
明治 MEIJI 1868
1912
300 400 500 600 700 800 900 1000 1100 1200 1300 1400 1500 1600 1700 1800 1900

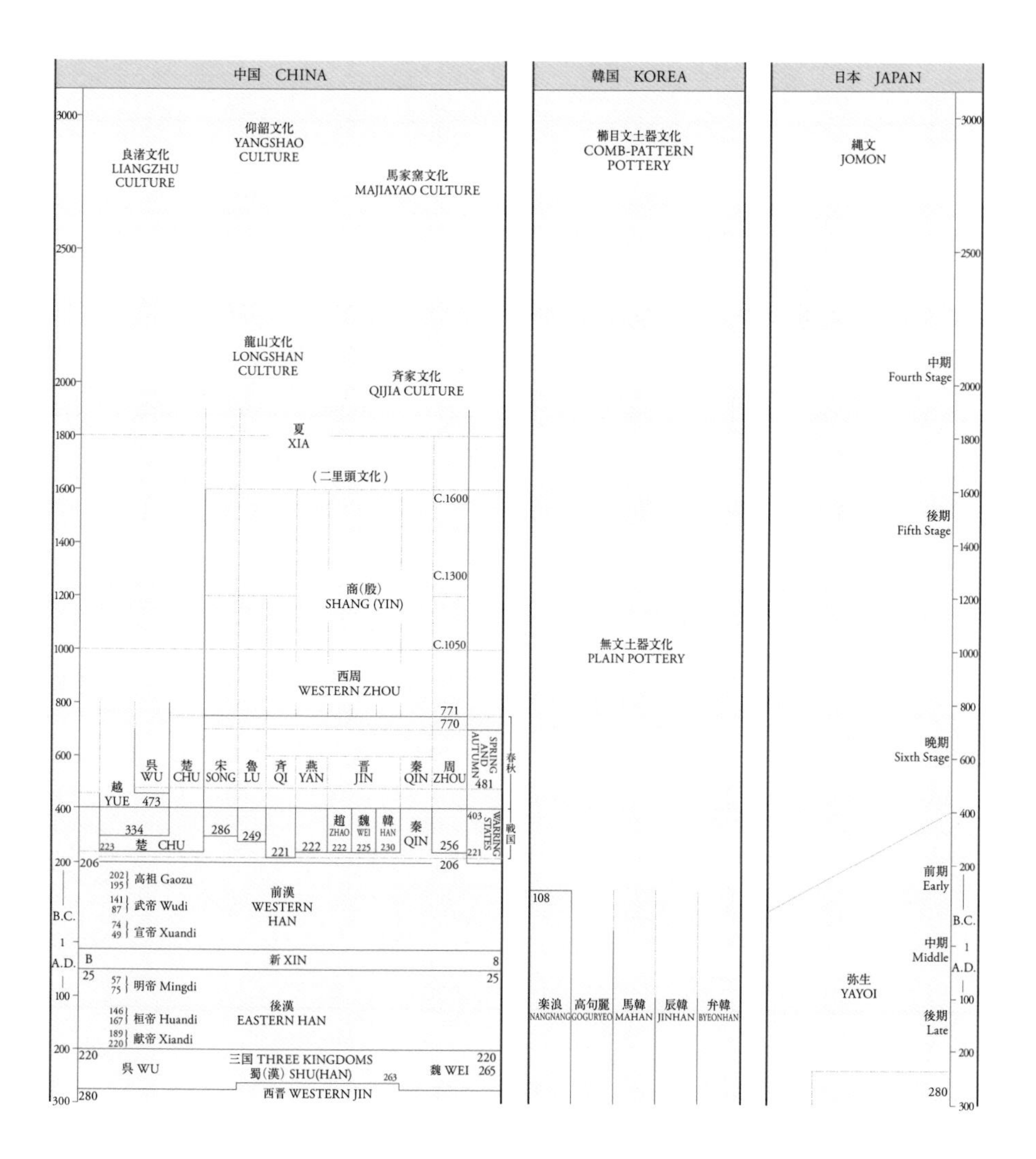
中国 CHINA
韓国 KOREA
日本 JAPAN
良渚文化 LIANGZHU CULTURE
仰韶文化 YANGSHAO CULTURE
馬家窯文化 MAJIAYAO CULTURE
龍山文化 LONGSHAN CULTURE
齐家文化 QIJIA CULTURE
夏 XIA
（二里頭文化）
C.1600
C.1300
商(殷) SHANG (YIN)
C.1050
西周 WESTERN ZHOU
771
770
SPRING AND AUTUMN 春秋
越 YUE
呉 WU
楚 CHU
宋 SONG
魯 LU
斉 QI
燕 YAN
晋 JIN
秦 QIN
周 ZHOU
481
473
403
WARRING STATES 戦国
趙 ZHAO 222
魏 WEI 225
韓 HAN 230
秦 QIN
334
286
249
221
222
256
223 楚 CHU
206
202 195 高祖 Gaozu
141 87 武帝 Wudi
74 49 宣帝 Xuandi
前漢 WESTERN HAN
新 XIN
8
25
57 75 明帝 Mingdi
146 167 桓帝 Huandi
189 220 獻帝 Xiandi
後漢 EASTERN HAN
220
三国 THREE KINGDOMS
呉 WU
蜀(漢) SHU(HAN)
263
魏 WEI 265
280
西晋 WESTERN JIN
櫛目文土器文化 COMB-PATTERN POTTERY
無文土器文化 PLAIN POTTERY
108
楽浪 NANGNANG
高句麗 GOGURYEO
馬韓 MAHAN
辰韓 JINHAN
弁韓 BYEONHAN
縄文 JOMON
中期 Fourth Stage
後期 Fifth Stage
晩期 Sixth Stage
前期 Early
中期 Middle
弥生 YAYOI
後期 Late
3000
2500
2000
1800
1600
1400
1200
1000
800
600
400
200
B.C.
1
A.D.
100
200
300

掲載作品一覧

・すべて大阪市立東洋陶磁美術館所蔵、住友グループ寄贈（安宅コレクション）
・キャプションは次の順で記載
掲載番号　文化財の指定・認定　◉国宝、◎重要文化財、○重要美術品
名称
よみがな
制作時期
制作地（窯）
法量　h：最大高、d：最大径、w：最大幅
重量
登録番号

1
加彩 婦女俑
かさい ふじょよう
唐時代・8世紀
h：49・0cm
w：20・3cm
3,520g
00794

2◎
青磁刻花 牡丹唐草文 瓶
せいじこっか ぼたんからくさもん へい
北宋時代・11〜12世紀
耀州窯
h：16・8cm
d：17・3cm
1,624g
00666

3
青磁 水仙盆
せいじ すいせんぼん
北宋時代・11世紀末〜12世紀初
汝窯
h：5・6cm
d：22・0×15・5cm
656g
00564

4◎
木葉天目 茶碗
このはてんもく ちゃわん
南宋時代・12〜13世紀
吉州窯
h：5・3cm
d：14・7cm
182g
00598

5◉
油滴天目 茶碗
ゆてきてんもく ちゃわん
南宋時代・12〜13世紀
建窯
h：7・5cm
d：12・2cm
349g
00559

6◉
飛青磁 花生
とびせいじ はないけ
元時代・14世紀
龍泉窯
h：27・4cm
d：14・6cm
951g
00556

7
青磁象嵌 六鶴文 陶板
せいじぞうがん ろっかくもん とうばん
高麗時代・12世紀後半〜13世紀前半
h：2・2cm
w：20・5×15・9cm
525g
00038

8◎
青磁象嵌 童子宝相華唐草文 水注
せいじぞうがん どうじほうそうげからくさもん すいちゅう
高麗時代・12世紀後半〜13世紀前半
h：19・2cm
w：23・9×16・4cm
1,668g
00226

9
粉青白地象嵌 条線文 簠
ふんせいしろじぞうがん じょうせんもん ほ
朝鮮時代・15世紀
h：16・2cm
w：25・6×22・2cm
3,920g
00162

10
粉青鉄絵 蓮池鳥魚文 俵壺
ふんせいてつえ れんちちょうぎょもん ひょうこ
朝鮮時代・15世紀後半〜16世紀前半
h：14・4cm
w：22・8×12・7cm
1,389g
00699

11
青花 梅竹文 壺
（「辛丑」銘）
せいか うめたけもん つぼ
（「しんちゅう」めい）
朝鮮時代・1481年
h：31・3cm
d：29・8cm
5,220g
00584

12
緑釉 楼閣
りょくゆう ろうかく
後漢時代・2〜3世紀
h：104・5cm
d：44・5cm
00185

13
青磁 天鶏壺
せいじ てんけいこ
南北朝時代・6世紀
h：48・0cm
d：23・6cm
5，520g
00824

14◯
三彩貼花
宝相華文 壺
さんさいちょうか
ほうそうげもん つぼ
唐時代・7～8世紀
h：30・9cm
d：24・3cm
4，120g
00161

15
三彩貼花
宝相華文 水注
さんさいちょうか
ほうそうげもん
すいちゅう
唐時代・7～8世紀
h：22・0cm
d：12・2cm
657g
00802

16
三彩 獅子
さんさい しし
唐時代・8世紀
h：21・8cm
w：15・6×12・2cm
1，601g
00801

17
加彩 宮女俑
かさい
きゅうじょよう
唐時代・7世紀
h：37・8cm
w：13・9cm
825g
00668

18
黒釉白斑 壺
こくゆうはくはん つぼ
唐時代・
8～9世紀
h：18・4cm
d：23・1cm
2，340g
00681

19
三彩印花
牡丹文 盤
さんさいいんか
ぼたんもん ばん
遼時代・
11～12世紀
缸瓦窯
h：3・0cm
d：30・3×17・6cm
578g
00766

20
黒釉刻花
牡丹文 梅瓶
こくゆうこっか
ぼたんもん めいぴん
北宋～金時代・
12世紀
磁州窯系
h：31・6cm
d：19・8cm
2，380g
00621

21
白釉黒花
風花雪月字 梅瓶
はくゆうこっか
ふうかせつげつじ
めいぴん
金時代・12世紀
磁州窯系
h：37・9cm
d：15・9cm
2，340g
00680

22◎
緑釉黒花
牡丹文 瓶
りょくゆうこっか
ぼたんもん へい
金時代・12世紀
磁州窯
h：35・0cm
d：17・4cm
2，360g
00682

23
青白磁
瓜形水注
せいはくじ
うりがたすいちゅう
北宋時代・11世紀
景徳鎮窯
h：25・8cm
w：14・2cm
901g
00623

24
白磁刻花
牡丹文 瓶
はくじこっか
ぼたんもん へい
北宋時代・11世紀
定窯
h：32・0cm
d：23・0cm
2，263g
00795

25◎
白磁刻花
蓮花文 洗
はくじこっか
れんかもん せん
北宋時代・
11～12世紀
定窯
h：12・1cm
d：24・5cm
852g
00495

26
白磁印花
花喰鳥文 盤
はくじいんか
はなくいどりもん ばん
金時代・
12～13世紀
定窯
h：2・9cm
d：21・7cm
300g
00582

27◎
白磁銹花
牡丹唐草文 瓶
はくじしゅうか
ぼたんからくさもん へい
金時代・12世紀
定窯
h：17・0cm
d：19・6cm
1，064g
00581

28
青磁貼花
夔鳳文 香炉
せいじちょうか
きほうもん こうろ
金時代・12世紀
耀州窯
h：18・0cm
d：21・5cm
2，920g
00823

29
青磁 八角瓶
せいじ はっかくへい
南宋時代・
12～13世紀
官窯
h：21・0cm
d：13・5cm
795g
00569

30
青磁 長頸瓶
銘「鎹」
せいじ ちょうけいへい
めい「かすがい」
南宋時代・13世紀
龍泉窯
h：22・7cm
d：13・4cm
945g
00588

31◎
青磁
鳳凰耳花生
せいじ
ほうおうみみはないけ
南宋時代・13世紀
龍泉窯
h：28・8cm
d：12・8cm
1，332g
00319

32
青磁 管耳瓶
せいじ かんじへい
南宋～元時代・
13世紀
哥窯
h：20・9cm
d：13・0cm
778g
00570

33
澱青釉紫紅斑
杯
でんせいゆうしこうはん
はい
金時代・
12～13世紀
鈞窯
h：4・8cm
d：9・0cm
110g
00572

34
月白釉 碗
げっぱくゆう わん
金時代・12～13世紀
鈞窯
h：8・9cm
d：19・5cm
559g
00618

35
瑠璃地白花 龍文 盤
るりじはっか りゅうもん ばん
元時代・14世紀
景徳鎮窯
h：1・8cm
d：15・5cm
188g
00615

36◎
青花 蓮池魚藻文 壺
せいか れんちぎょそうもん つぼ
元時代・14世紀
景徳鎮窯
h：28・2cm
d：33・4cm
6,060g
00728

37
青花 宝相華唐草文 盤
せいか ほうそうげからくさもん ばん
元時代・14世紀
景徳鎮窯
h：9・0cm
d：45・3cm
5,160g
00830

38
青花 龍牡丹唐草文 双耳壺
せいか りゅうぼたんからくさもん そうじこ
元時代・14世紀
景徳鎮窯
h：38・7cm
d：32・6cm
7,640g
00562

39
青花 牡丹唐草文 梅瓶
せいか ぼたんからくさもん めいぴん
元時代・14世紀
景徳鎮窯
h：38・1cm
d：23・8cm
5,200g
00539

40
釉裏紅 牡丹文 盤
ゆうりこう ぼたんもん ばん
明時代・洪武（1368～1398）
景徳鎮窯
h：10・0cm
d：45・5cm
5,960g
00414

41◎
青花 枇杷鳥文 盤
せいか びわとりもん ばん
明時代・永楽（1403～1424）
景徳鎮窯
h：10・0cm
d：50・5cm
4,620g
00560

42
青花 内府銘 梅瓶
せいか ないふめい めいぴん
明時代・永楽（1403～1424）
景徳鎮窯
h：34・0cm
d：21・0cm
㊨2,845g
㊧3,149g
00704

43
青花 龍波濤文 扁壺
せいか りゅうはとうもん へんこ
明時代・永楽（1403～1424）
景徳鎮窯
h：45・0cm
w：35・0×23・8cm
6,920g
00574

44
青花 茘枝文 扁壺
せいか れいしもん へんこ
明時代・永楽（1403～1424）
景徳鎮窯
h：25・0cm
w：21・5×12・7cm
1,001g
00781

45
青花 花鳥文 水注
せいか かちょうもん すいちゅう
明時代・永楽（1403～1424）
景徳鎮窯
h：33・7cm
w：28・8cm
2,580g
00819

46
青花 宝相華唐草文 壺（「大明宣徳年製」銘）
せいか ほうそうげからくさもん つぼ（「だいみんせんとくねんせい」めい）
明時代・宣徳（1426～1435）
景徳鎮窯
h：35・8cm
d：42・0cm
16,800g
00811

47◎
瑠璃地白花 牡丹文 盤（「大明宣徳年製」銘）
るりじはっか ぼたんもん ばん（「だいみんせんとくねんせい」めい）
明時代・宣徳（1426～1435）
景徳鎮窯
h：7・0cm
d：38・7cm
2,640g
00727

48
青花 瓜文碗（「大明成化年製」銘）
せいか うりもん わん（「だいみんせいかねんせい」めい）
明時代・成化（1465～1487）
景徳鎮窯
h：7・0cm
d：15・4cm
202g
00608

49
青花 鳳凰文 盤
（「大明成化年製」銘）
せいか ほうおうもん ばん
（「だいみんせいかねんせい」めい）
明時代・成化（1465〜1487）
景徳鎮窯
h：4・5cm
d：18・4cm
213g
00782

50◎
法花 花鳥文 壺
ほうか かちょうもん つぼ
明時代・15世紀
h：44・5cm
d：39・4cm
14,540g
00561

51
紫紅釉 盆
しこうゆう ぼん
明時代・15世紀
鈞窯
h：9・0cm
d：24・0cm
1,458g
00497

52
黄地青花 折枝花卉文 盤
（「大明正徳年製」銘）
おうじせいか せっしかきもん ばん
（「だいみんせいとくねんせい」めい）
明時代・正徳（1506〜1521）
景徳鎮窯
h：5・8cm
d：29・2cm
1,105g
00630

53
黄地紅彩 龍文 壺
（「大明嘉靖年製」銘）
おうじこうさい りゅうもん つぼ
（「だいみんかせいねんせい」めい）
明時代・嘉靖（1522〜1566）
景徳鎮窯
h：27・1cm
d：21・8cm
2,360g
00635

54
緑地紅彩 宝相華唐草文 瓢形瓶
（「大明嘉靖年製」銘）
りょくじこうさい ほうそうげからくさもん ひょうけいへい
（「だいみんかせいねんせい」めい）
明時代・嘉靖（1522〜1566）
景徳鎮窯
h：22・1cm
d：12・7cm
929g
00818

55
黄地青花紅彩 牡丹唐草文 瓢形瓶
（「大明嘉靖年製」銘）
おうじせいかこうさい ぼたんからくさもん ひょうけいへい
（「だいみんかせいねんせい」めい）
明時代・嘉靖（1522〜1566）
景徳鎮窯
h：21・6cm
d：12・0cm
686g
00805

56
五彩金襴手 瓢形瓶
ごさいきんらんで ひょうけいへい
明時代・16世紀
景徳鎮窯
h：38・8cm
d：17・2cm
2,180g
00565

57
五彩金襴手 婦女形水注
ごさいきんらんで ふじょがたすいちゅう
明時代・16世紀
景徳鎮窯
h：33・1cm
d：17・6cm
839g
00451

58
五彩 牡丹文 盤
（「大明萬暦年製」銘）
ごさい ぼたんもん ばん
（「だいみんばんれきねんせい」めい）
明時代・万暦（1573〜1620）
景徳鎮窯
h：7・1cm
d：38・5cm
2,300g
00678

59
五彩 松下高士図 面盆
（「大明萬暦年製」銘）
ごさい しょうかこうしず めんぼん
（「だいみんばんれきねんせい」めい）
明時代・万暦（1573〜1620）
景徳鎮窯
h：9・9cm
d：36・8cm
3,060g
00496

60
青銅 饕餮文 鴟鴞卣
せいどう とうてつもん しきょうゆう
商時代・前14〜前11世紀
h：32・0cm
5,320g
00285

61
堆朱 蓮池鴛鴦文 輪花盆
ついしゅ れんちえんおうもん りんかぼん
明時代・15世紀
h：5・7cm
d：60・0cm
00603

62
青磁 洗
せいじ せん
高麗時代・12世紀前半
h：6・0cm
d：16・7cm
403g
00512

63
青磁 瓶
せいじ へい
高麗時代・12世紀前半
h：20・2cm
d：11・0cm
497g
00186

64
青磁 砧形瓶
せいじ きぬたがたへい
高麗時代・12世紀前半
h：21・8cm
d：11・9cm
780g
00213

65
青磁 瓜形瓶
せいじ うりがたへい
高麗時代・12世紀前半
h：25・7cm
d：10・6cm
906g
00415

66
青磁陰刻
柳蘆水禽文 浄瓶
せいじいんこく
りゅうろすいきんもん
じょうへい
高麗時代・12世紀
h：33・1cm
w：16・6cm
1,244g
00281

67
青磁陽刻
牡丹蓮花文
鶴首瓶
せいじようこく
ぼたんれんかもん
かくしゅへい
高麗時代・12世紀
h：36・8cm
d：15・0cm
1,508g
00771

68○
青磁陰刻
蓮花文 三耳壺
せいじいんこく
れんかもん さんじこ
高麗時代・12世紀
h：18・9cm
d：14・6cm
972g
00157

69
青磁陽刻
蓮黄蜀葵文
梅瓶
せいじようこく
はすおうしょっきもん
めいぴん
高麗時代・12世紀
h：32・1cm
d：21・8cm
3,080g
00017

70
青磁陽刻
筍形水注
せいじようこく
たけのこがたすいちゅう
高麗時代・12世紀
h：22・5cm
d：21・1×14・8cm
1,464g
00335

71○
青磁印花
夔龍文 方形香炉
せいじいんか
きりゅうもん
ほうけいこうろ
高麗時代・12世紀
h：11・9cm
w：16・2×17・6cm
1,000g
00134

72
青磁彫刻
鴛鴦蓋香炉
せいじちょうこく
えんおうぶたこうろ
高麗時代・12世紀
h：23・7cm
w：19・4cm
1,407g
00272

73○
青磁彫刻
童女形水滴
せいじちょうこく
どうじょがたすいてき
高麗時代・12世紀
h：11・2cm
w：6・0cm
234g
00130

74
青磁 獅子形枕
せいじ
ししがたまくら
高麗時代・12世紀
h：10・0cm
w：18・4×9・2cm
857g
00731

75
青磁象嵌
竹鶴文 梅瓶
せいじぞうがん
たけつるもん めいぴん
高麗時代・
12世紀後半～
13世紀前半
h：29・2cm
d：17・6cm
2,053g
00158

76○
青磁象嵌
鳳凰文 方盒
せいじぞうがん
ほうおうもん ほうごう
高麗時代・13世紀
h：7・8cm
w：22・0×15・5cm
2,620g
00262

77
青磁象嵌辰砂彩
牡丹文 鶴首瓶
せいじぞうがんしんしゃさい
ぼたんもん かくしゅへい
高麗時代・13世紀
h：34・5cm
d：16・6cm
1,766g
00765

78○
青磁白堆
草花文 水注
せいじはくつい
そうかもん すいちゅう
高麗時代・12世紀
h：18・2cm
w：22・8×15・7cm
00108

79
青磁白堆
雲文 梅瓶
せいじはくつい
うんもん めいぴん
高麗時代・13世紀
h：38・4cm
d：21・6cm
4,720g
00191

80
青磁鉄絵
宝相華唐草文
梅瓶
せいじてつえ
ほうそうげからくさもん
めいぴん
高麗時代・12世紀
h：28・2cm
d：17・8cm
2,000g
00788

81
青磁鉄地象嵌
草花文 梅瓶
せいじてつじぞうがん
そうかもん めいぴん
高麗時代・12世紀
h：28・4cm
d：16・8cm
1,420g
00078

82
青磁鉄地象嵌
如意頭文 瓶
せいじてつじぞうがん
にょいとうもん へい
高麗時代・13世紀
h：34・0cm
d：18・2cm
2,160g
00711

83
青磁練上 碗
せいじねりあげ わん
高麗時代・12世紀
h：5.2cm
d：14.0cm
200g
00190

84
白磁 瓜形水注・承盤
はくじ うりがたすいちゅう・しょうばん
高麗時代・12世紀
h：18.6cm（水注）
h：8.9cm（承盤）
総計：2,180g
00251

85
粉青面象嵌 草花文 瓶
ふんせいめんぞうがん そうかもん へい
朝鮮時代・15世紀
h：29.7cm
w：18.0cm
1,800g
00331

86
粉青線刻 柳文 長壺
ふんせいせんこく やなぎもん ちょうこ
朝鮮時代・15世紀後半～16世紀
h：43.8cm
d：29.3cm
5,240g
00233

87
粉青鉄絵 魚文 深鉢
ふんせいてつえ ぎょもん ふかばち
朝鮮時代・15世紀後半～16世紀前半
鶏龍山窯
h：16.8cm
d：31.3cm
2,220g
00142

88
粉青粉引 瓶
ふんせいこひき へい
朝鮮時代・16世紀
h：18.1cm
d：14.6cm
884g
00156

89
粉青粉引 簠
ふんせいこひき ほ
朝鮮時代・15世紀
h：13.6cm
w：22.0×31.0cm
2,680g
00079

90
黒釉 扁壺
こくゆう へんこ
朝鮮時代・15～16世紀
h：17.0cm
w：17.8×11.6cm
1,540g
00700

91
白磁 角杯
はくじ つのはい
朝鮮時代・15世紀
h：18.8cm
d：5.5cm
406g
00656

92
白磁 扁壺
はくじ へんこ
朝鮮時代・16世紀
h：25.7cm
w：12.0×25.0cm
2,560g
00153

93
白磁 壺
はくじ つぼ
朝鮮時代・16世紀
h：23.0cm
d：29.6cm
4,080g
00152

94
白磁透彫 蓮花文 盆台
はくじすかしぼり れんかもん ぼんだい
朝鮮時代・16世紀
h：39.5cm
w：26.4cm
8,720g
00247

95
白磁陽刻 四君子文 角瓶
はくじようこく しくんしもん かくびん
朝鮮時代・18世紀後半
h：20.4cm
w：10.6×10.8cm
1,340g
00478

96
青花 宝相華唐草文 盤
せいか ほうそうげからくさもん ばん
朝鮮時代・15世紀後半
h：2.0cm
d：22.7cm
467g
00360

97
青花 草花文 面取瓶
せいか そうかもん めんとりへい
朝鮮時代・18世紀前半
h：24.0cm
d：11.6cm
754g
00348

98
青花 窓絵草花文 面取壺
せいか まどえそうかもん めんとりつぼ
朝鮮時代・18世紀前半
h：23.0cm
d：27.0cm
3,580g
00238

99
青花 虎鵲文 壺
せいか とらかささぎもん つぼ
朝鮮時代・18世紀後半
h：44.1cm
d：34.2cm
8,240g
00139

100
鉄砂 虎鷺文 壺
てっしゃ とらさぎもん つぼ
朝鮮時代・17世紀後半
h：30.1cm
d：30.2cm
3,820g
00476

101
辰砂 松鶴文 壺
しんしゃ まつつるもん つぼ
朝鮮時代・18世紀
h：24.8cm
d：27.8cm
3,600g
00321

大阪市立東洋陶磁美術館

大阪市北区中之島 1-1-26
〒 530-0005
TEL06-6223-0055

https://www.moco.or.jp

大阪市立東洋陶磁美術館
安宅コレクション　名品選 101

The Museum of Oriental Ceramics, Osaka
THE ATAKA COLLECTION 101
Masterpiece Selection

発行日　2023 年 3 月 31 日　初版
編著者　大阪市立東洋陶磁美術館
　　　　公益財団法人 泉屋博古館
発行者　片山誠
発行所　株式会社青幻舎
　　　　京都市中京区梅忠町 9-1
　　　　〒 604-8136
　　　　TEL075-252-6766
　　　　FAX075-252-6770
　　　　https://www.seigensha.com

アートディレクション：上田英司（シルシ）
グラフィックデザイン：上田英司・叶野夢（シルシ）
作品撮影：六田知弘
巻頭・巻末カラー頁撮影：田口葉子

編集：鎌田恵理子（青幻舎）

印刷・製本：株式会社サンエムカラー

Printed in Japan
ISBN978-4-86152-910-8 C0070

天窓から自然光が降り注ぐ本館 2階ロビー
南側の壁の上から鴨がお出迎え。《鴨形土器》韓国・三国時代(4～ 6世紀)

「ここ（大阪市立東洋陶磁美術館）は
大阪であって大阪でない、
その中で世界に目を向けた美術館にしたい」

伊藤郁太郎※

自然採光室をはじめ、やきものを自然のうつろい、時のうつろいの中で鑑賞できる理想的な環境を目指した、世界中の人々に東洋陶磁のすばらしさを発信する拠点でありたいという強い想いが建物にも込められている。（M）

※『大阪市立東洋陶磁美術館と中之島』（日建設計、一九九九年）より

やきもの鑑賞へと誘うスタート地点であるロビー
椅子やベンチも設置されたロビーはくつろぎ空間でもある

細部にもシンボルマークの宝相華などこだわりの意匠が随所にちりばめられている

堂島川とバラの小径の緑までも取り込む全面ガラスの開放的な階段室

外壁は微妙に色調の異なるタイルを組み合わせ、「土」を連想させる落ち着いた雰囲気を演出
左奥に重要文化財である大阪市中央公会堂が見える

難波橋からの眺め。豊かな水の流れ木々の緑が美しい
左手はこども本の森 中之島。建築家・安藤忠雄氏による青りんごのオブジェが目を引く

美術館北面。銅板葺きの屋根のてっぺんには中国・唐三彩の水注を模倣したオブジェがあしらわれている
左下には自然採光室に光を取り込むための設備が見える